Présence du

Entre chien et louve

Le Corridor
Le Chien qui rit
La Petite Fille aux araignées

« La maison du peintre »
nouvelle dans *Territoires de l'inquiétude 2*

ANNE DUGUËL

Entre chien et louve

roman

DENOËL

© 1998, by Éditions Denoël
9, rue du Cherche-Midi, 75006 Paris
ISBN 2.207.24703.1
B 24703.2

À Claude,
en mémoire de la petite grenouille rose
au fond de la cour.

À l'ombre de Michel de Ghelderode.

Je pense à la négresse, amaigrie et phtisique
Piétinant dans la boue et cherchant, l'œil hagard,
Les cocotiers absents de la superbe Afrique
Derrière la muraille immense du brouillard.

Charles Baudelaire, « Le Cygne »
Les Fleurs du Mal

1.

D'abord, ouvrir les yeux.

Mes paupières sont lourdes, lourdes. Du plomb.
Mais tant que je n'aurai pas levé ce volet m'isolant
du monde extérieur, je resterai en proie à moi-
même. Englouti dans mon bourbier intérieur, dans
les sables mouvants d'une semi-inconscience qui
m'aspire vers le néant, et dont j'ai le plus grand
mal à m'extraire.

Ouvrir les yeux... Quelle entreprise titanesque !
Si je bougeais, plutôt ?

Un monstrueux engourdissement paralyse mon
corps. Je bande mes muscles, mais sans le moindre
résultat. Autant chercher à animer une statue de
marbre. Épuisé par l'effort, je replonge dans mes
limbes intimes.

Temps indéterminé. Des tentacules d'ombre se
déploient en moi, au ralenti. Durant des heures et
des heures, je lutte pour échapper à leur flasque
emprise.

Des heures et des heures, ou une fraction

de seconde. Ou un siècle. Comment savoir ?

Je vais... Oui, c'est ça, je vais remuer un doigt. Moins, même : une phalange. Une phalange, ce ne sera pas trop difficile.

Je me concentre, je rassemble mes forces. Je fais appel à toutes les puissances qui stagnent loin, si loin, au fond de mon gouffre mental. Je prends mon élan, comme un fauve s'apprêtant à bondir. Puis han ! d'un seul coup, je projette un flux d'énergie vers ma main gauche.

Ma main gauche, mon doigt, ma phalange... Je les sens, physiquement. Leur présence organique me sature l'esprit. Je ne suis plus qu'une main, un doigt, une phalange. Mais cette main, ce doigt, cette phalange restent inertes. Les ordres du cerveau ne leur parviennent pas.

Que m'est-il arrivé ? Pourquoi cette errance aux frontières du non-être ? Suis-je malade ? Blessé ? Dans le coma ? Sous anesthésie ? Mourant peut-être ?

Vais-je me réveiller – à condition que je me réveille ! – dans une chambre d'hôpital ? Sur une table d'opération ? Dans... dans le tiroir réfrigéré d'une morgue ?

L'odieuse perspective fait naître un spasme glacé dans le creux de mes reins. MOI, sous le scalpel d'un médecin légiste... Conservé dans le formol... Brrr !

Et d'abord, qui suis-je ?

Impossible de m'en souvenir...

Si je pouvais regarder ce qui m'entoure, sans doute la mémoire me reviendrait-elle. Cette amnésie n'est sûrement qu'une absence passagère, le résultat d'un choc.

Quel choc? Je ne me rappelle aucun choc. Rien de violent ne m'habite. Juste ce poulpe obscur qui étire à l'infini ses membres convulsés, ses ventouses gluantes, et crache un brouillard d'encre.

Ouvrir les yeux, c'est la seule solution. Avec la vue, tout me reviendra. La clarté du jour dissipera les ténèbres qui m'emplissent, un ordre lumineux remplacera le chaos.

Ouvrir les yeux...

Des images surgissent tandis que je peine, et flottent au-dessus du magma. Je vois des hommes, attelés à des cordes. Ils tirent. Leurs muscles tétanisés tremblent, à la limite du claquage. Le soleil leur ronge la peau, sueur et sang lustrent leurs épaules. Une rumeur de souffrance, profonde, assourdissante, monte de leurs corps tendus, martyrisés par l'effort. La charge oscille enfin.

Il me semble que... mes paupières ont frémi.

Les énormes blocs de granit s'ébranlent. Quelque part, un fouet siffle, suivi d'un râle. Une forme s'écroule, aussitôt piétinée. Interrompre le gigantesque élan collectif est à présent impossible, fût-ce au profit d'une vie. La machine humaine n'a plus rien d'humain.

Est-ce moi, ce travailleur écrabouillé, cette flaque pourpre bue par le sable du désert ? Ou ma mémoire, incontrôlée, recrache-t-elle des récits enregistrés il y a bien longtemps, des séquences de films que mes efforts présents font resurgir, par association d'idées ?

Millimètre après millimètre, les blocs de granit glissent sur le sol. À l'horizon, la pyramide s'érige.

Mes paupières se soulèvent enfin.

Un rai de lumière déchire mon cerveau.

2.

Le front contre la vitre, Astrid suit des yeux le vol des corbeaux dans la grisaille.

« Encore une journée... » soupire-t-elle.

Une journée comme toutes les autres, face à ce paysage immuable, cette forêt, ces brumes que rien ne dissipe jamais, ce jardinet détrempé. Une journée de tâches dérisoires : repas, ménage, lessive, repassage, ne profitant à personne mais s'égrenant au fil des heures comme un parcours de somnambule.

Que quelque chose interrompe ce parcours et le somnambule s'éveille, affronte le vertige, et bascule dans le vide.

Lentement, Astrid ouvre le frigo, en sort une

botte de poireaux, des branches de céleri, quelques carottes. Étend, sur la table de la cuisine, une feuille de papier journal – ce quotidien qu'elle ne lit pas, mais trouve chaque matin dans sa boîte aux lettres, adressé à son défunt mari –, et entreprend l'épluchage minutieux des légumes.

Dix heures sonnent à l'horloge du salon.

Nouveau soupir. Un soupir de grosse que le poids de sa chair incommode. À soixante-deux ans, Astrid se sent vieille. Les Africaines sont précoces, en général. Être femme à douze ans use prématurément. Les années volées à l'enfance ne se rattrapant pas, au bout du compte, la terrible soustraction demeure.

Longtemps, la présence de Jean a entretenu l'illusion d'une jeunesse factice. Lui, était vraiment vieux. Et dans son regard, la fillette de jadis n'avait pas pris une ride.

Des empressements d'homme, quel label de jouvence !

Aujourd'hui, seule entre ses quatre murs, Astrid n'est plus que lassitude. Surtout avec cette peur qui rôde, à l'extérieur. Cette peur *jeune*.

3.

Après des clignements à n'en plus finir, mes yeux se laissent enfin apprivoiser. L'écran de larmes s'élimine peu à peu, la plaie de lumière cicatrice. Des formes floues s'insinuent dans les fulgurances de ma cécité.

La première chose que j'aperçois, c'est un brin d'herbe. Un minuscule brin d'herbe qui se balance au vent, à un centimètre de mon nez.

Je l'observe avec une attention soutenue, captivé, subjugué. Je pourrais rester ainsi des années, des siècles, l'éternité, avec pour seul panorama ce fragile végétal, dont le frémissement m'hypnotise.

Autre intérêt de ce brin d'herbe, et non des moindres : un parfum d'une telle intensité que j'en suffoque. Des remous olfactifs qui m'assaillent, me submergent. Dans lesquels je m'abîme. Jamais je n'avais éprouvé la jouissance extrême de se noyer dans un raz de marée d'odeurs.

Tiens, que se passe-t-il ? Un frisson me parcourt l'échine. Quelque chose vient d'entrer dans mon champ de vision, dont l'intérêt relègue soudain tout le reste au second plan.

Une fourmi.

La fourmi escalade le brin d'herbe. C'est un spectacle palpitant. Je retiens ma respiration. Sous le poids de l'insecte, le brin d'herbe ploie. *Il ploie mais ne se rompt point.* Où ai-je entendu cette maxime ?

L'arbre tient bon, le roseau plie.
Le vent redouble ses efforts,

Et fait si bien qu'il déracine
Celui de qui la tête au ciel était voisine,
Et dont les pieds touchaient à l'empire des morts.

La strophe m'est revenue, intacte, dieu sait d'où. Et un nom : La Fontaine. *Les Fables de La Fontaine.*

Durant quelques instants, je suis comblé. Le brin d'herbe, la fourmi, le raz de marée d'odeurs, les mots qui dansent dans ma tête. De quoi remplir une vie. Puis soudain, la fourmi dégringole, rompant la fragile perfection de mon bonheur. Alors, je me redresse d'un bond et, à pleins poumons, j'aboie.

4.

Un aboiement, venu des profondeurs de la forêt, fait sursauter Astrid. Elle ramène sur ses épaules le tissu bariolé qui lui sert de châle – frise d'oiseaux jaunes sur fond rayé vert et violet, du plus pur style wax hollandais –, et s'en enveloppe frileusement.

« Saleté de chienne... » ronchonne-t-elle.

Elle n'a jamais beaucoup aimé les animaux. Voilà plus de quarante ans que l'engouement des Européens pour « leurs compagnons à quatre pattes » l'irrite. S'encombrer la vie de ces parasites, pfffttt! En dehors de bouffer, chier et semer leurs poils partout, ça sert à quoi, franchement?

Le bétail, la volaille, o.k. Les chèvres et les brebis, d'accord. Les chiens de garde, à la rigueur. Les chats, pour chasser rats et souris, bon. Mais Meisje...

L'utilité de Meisje reste à déterminer. À part vous réveiller la nuit par ses hurlements intempestifs, et vous regarder passer en grondant, l'enfer dans les prunelles...

Évidemment, durant la petite enfance d'Hugo, c'était différent. Comme compagne de jeu, la chienne valait son pesant d'or. Comme mère adoptive aussi. Un flanc chaud, un pelage où crocheter sa menotte... Sans cette nounou canine au dévouement sans borne, on se demande ce que serait devenu le pauvre gosse.

Mais aujourd'hui, Hugo a la quarantaine. Et il est fort comme un Turc...

Astrid hausse les épaules, consciente de son absolue mauvaise foi. Pendant qu'Hugo court les bois avec sa chienne, au moins, il ne pense pas à mal!

5.

J'ABOIE.

Fauché par la surprise, je retombe, le museau dans la poussière.

Mais... Mais... Mais... Non, c'est impossible, je rêve. Les premières lueurs du jour effaceront ce songe idiot. Il me suffit d'attendre.

Je pose la tête à plat sur mes pattes, dans une attitude qui m'est familière – familière?!? – et, pétrifié, j'attends le matin.

Absurde! Il ne doit pas être loin de midi. Le soleil, pour autant qu'on puisse en juger à la vague irradiance du ciel cotonneux, est presque à son zénith. Jamais je ne dors aussi tard. Les aubes laborieuses ont, de tout temps, été mon lot.

Je suis donc éveillé.

Mais non, bougre d'abruti! *Je rêve que je suis éveillé.* En réalité, il fait nuit noire, et je me trouve dans mon lit au côté de ma femme.

Ma femme... Quelle femme?

Un hoquet me soulève. Vomi par ma mémoire défaillante, un visage vient de m'apparaître en gros plan. Mais de façon si brève, si furtive, si... subliminale, qu'à peine entrevu il s'est dissous, me laissant pantelant, le cœur explosé, des couinements d'angoisse plein la gueule.

Qu'est-ce qui m'arrive?

Reprenons tout depuis le début. Qui suis-je?

Je suis... Oui, ça me revient, maintenant. Je suis un chien errant, un chien libre. Jamais aucun humain, fût-il une femme – ma femme! – n'a eu de pouvoir sur moi.

Des réminiscences diffuses m'envahissent. Le froid de la dalle... La chaleur humide de la portée de chiots, grouillant dans le pelage maternel... La tétine nourricière, juteuse, sublime... Les multitudes d'odeurs titillant mon flair : terre humide, végétaux pourrissants, mousse, champignons, fleurs mortuaires... Et, plus fortes que tout cela, entêtantes, saturant l'atmosphère, exsudées par le sol, les pierres, les plantes, le vent, par ma mère elle-même, ces fragrances excrémentielles de chairs en décomposition qui imprégnèrent mes prémices d'existence. Cette puanteur de cimetière, imperceptible au commun des mortels, mais dont les chiens discernent chaque nuance.

D'où me viennent ces impressions contradictoires? Ces sentiments de déjà vu, de déjà vécu qui m'assaillent à présent le cerveau? De quel abominable court-circuit suis-je victime, pour que se rencontrent dans ma mémoire des souvenirs d'homme et des souvenirs de chien?

Suis-je un homme qui rêve qu'il est un chien?

Suis-je un chien qui rêve qu'il est un homme?

La vermine grouille dans mes poils. De sournoises démangeaisons me parcourent les flancs, le dos, l'abdomen. Avec une aisance qui me laisse pantois, ma patte arrière s'élève et *grat, grat, grat...* Le soulagement ressuscite en moi une autre sensation, en tout point semblable. Celle d'une main sombre aux ongles courts. Une main de femme vieillissante, soulevant la couverture, écartant le linge, apaisant adroitement l'insupportable prurit d'une escarre.

Une houle de reconnaissance m'étreint.

Moi, immobile, impuissant, paralysé, et cette main, la sienne, à la paume si souvent mangée de baiser, au poignet tant de fois prisonnier de mes doigts. La main fouailleuse des troubles caresses...

ASTRID !

Le nom m'a giclé de l'âme comme un éjaculat.

Astrid, éclat de verre, onomatopée scintillante évoquant les plaines enneigées, les fjords, les glaciers scandinaves. Combien de petites Congolaises en furent affublées, au début des années trente, en hommage à la souveraine de l'État colonisateur ?

Un frôlement, non loin, change le cours de mes pensées. Je dresse l'oreille, tout mon être subitement en alerte.

Dans un taillis voisin se terre un lapereau. D'un bond, je suis sur lui. Les crocs tenaillant sa nuque, je l'agite furieusement de gauche à droite. J'ai faim. Sa chair est tendre. Le goût du sang me remplit d'aise.

C'est en pleine digestion que le flash me saisit. Une explosion de lumière pourpre. Un embrasement si virulent, si démesuré que, l'espace d'un instant, je peux me croire au cœur d'un incendie.

Mais ce n'est pas un incendie. Juste un coucher de soleil surgi des ténèbres du passé.

Tout flambait : le ciel, la brousse incandescente, l'horizon ardent zébré de vermeil, de rubis, d'orange. La terre, d'un rouge profond. Sur ce brasier, les branches tourmentées de l'immense fromager se détachaient en ombre chinoise, comme autant de serpents se tordant dans les flammes.

Sous le fromager, la case au toit de palme. Et devant la case, le petit vieillard nu psalmodiant des cantiques, dont la vue m'a rempli d'effroi.

« Hooouuuuuuu... Hoooouuuuuuu... »

Assis sur mon derrière, le museau levé, le cou tendu, je hurle. À la lueur de ce coucher de soleil, la mémoire m'est revenue d'un seul coup. Des milliers et des milliers de souvenirs. Tous les souvenirs d'une vie d'homme.

« Hooooouuuuuu.... Hooooouuuuuu... »

Je hurle, je hurle, ma cervelle de chien prête à éclater.

6.

À force, Astrid a oublié la cuisine africaine. Les saveurs de gingembre, de manioc, de plantain, ne lui manquent même plus. Faute d'ingrédients ad hoc, elle a depuis longtemps muselé ses papilles et affadi l'haleine de ses marmites. Nulle épice exotique n'émoustille plus ses plats, d'ailleurs à quoi bon? Jean raffolait des potées, brouets et mets traditionnels – certes sans fantaisie, mais tenant bien au corps – dont il faisait son ordinaire, et qu'elle préparait à ravir. Lui disparu, elle n'a pas changé ses habitudes.

Manger, est-ce un acte de volupté ou de survie?

Avec une régularité de métronome, Astrid remplit la cuillère à ras bord et la porte à sa bouche. Goûte-t-elle seulement l'aliment qu'elle absorbe, ou la survie a-t-elle pris le pas sur la volupté... sur toute volupté?

7.

JE SUIS MORT, JE LE SAIS À PRÉSENT. Mes derniers instants me reviennent en mémoire.

Il était tard, aux alentours de minuit. Dans mes draps imprégnés d'urine, je somnolais. Astrid avait dressé un lit de camp, près de moi. Depuis mon attaque, nous ne dormions plus ensemble. Elle devait craindre de me déranger, elle si vivante et moi trois quarts cadavre. À moins que ma proximité ne l'incommode. Mes relents, ma sueur. Mon incontinence. Peut-être même, avec cette crédulité propre aux gens de sa race, redoutait-elle que la mort ne s'attrape, comme une maladie contagieuse.

Quel dévouement, pourtant! Quelle abnégation! Jamais, en presque un demi-siècle de vie commune, Astrid ne s'était autant préoccupée de moi. Veillant, inlassable, à mes côtés, soignant mes plaies, vidant mes bassins, m'emmaillotant comme un bébé. Me nourrissant quasi à la mamelle...

Par la fenêtre dont le volet cassé laissait suinter la nuit, j'apercevais les ombres du jardin. Une portion de terre herbue, tant de fois tondue par mes soins. Des arbres fruitiers, malingres mais féconds, plantés avec amour et si souvent élagués, échenillés, greffés, dont les fruits faisaient ma fierté.

Allais-je devoir quitter tout cela?

Et l'abandonner elle, elle... Elle, dormant à poings fermés, son visage d'ébène hermétiquement clos... Elle, auréolée de ses crêpelures grises, ceinte de batiks tropicaux, allant et venant dans cette maison – la nôtre! – en dodelinant du sein au rythme de sa marche ? Elle, l'oiseau de paradis en exil dans ces sombres Ardennes, la déracinée n'ayant plus que moi pour patrie ? Elle, elle...

L'abandonner... Cette idée me suppliciait.

Arracher un être à son continent, l'emporter chez soi comme un trophée – comme une bouture ! – l'acclimater, lui consacrer chaque instant de sa vie. Puis du jour au lendemain, disparaître, le livrant aux intempéries...

J'aurais dû... oui, j'aurais dû la laisser là-bas, dans son village. Elle m'aurait oublié. Ou se serait souvenue de moi, du vague à l'âme, tout en pondant des ribambelles de gosses bien noirs. Veuve, elle aurait eu une descendance pour la soutenir, des cousins, des amis. Un entourage à son image, à sa couleur. Et je l'avais privée de ça, de cette vieillesse sereine, par égoïsme.

Par passion dévorante, plutôt. Quarante-sept ans d'amour fou, sans la moindre défaillance.

Certes, mais au prix de combien d'années de future solitude ?

Les heures s'égrenaient lentement. La mort montait en moi. J'écoutais respirer Astrid. À l'ultime seconde, je le jure, je n'ai pensé qu'à elle.

J'aurais voulu crier mon désespoir, ma souffrance, mes remords, mais la maladie m'avait rendu muet. Depuis plusieurs semaines, je n'étais plus qu'un corps inerte, privé de mouvement et de parole. Avec juste un regard pour communiquer...

La mort montait en moi, inexorable flux de

glace. Ma respiration devenait de plus en plus laborieuse, de plus en plus sifflante. Je suffoquais. Quand j'ai craché mon dernier souffle, une plainte s'est élevée au loin, comme un écho à mon cri silencieux.

La chienne des voisins avait senti la mort. Elle hurlait à ma place. En m'éteignant, je l'en ai remerciée.

8.

Le hurlement de Meisje cette nuit-là, jamais Astrid ne l'oubliera. Toutes les nuits, elle l'entend. Et les boules Quiès n'y changent rien. Le cri ne vient pas du dehors, de cette cabane enfouie dans les bois dont, le soir venu, on aperçoit entre les sapins la vague lueur des fenêtres éclairées. Non, le cri est dans sa tête, imprimé au fer rouge.

Elle se doutait bien que c'était imminent. L'état de Jean avait empiré de façon spectaculaire. Elle s'était juré de ne pas l'abandonner un seul instant, de lui tenir la main pour le grand saut. Elle lui devait bien ça, quand même !

Longtemps, allongée sur son lit de camp, elle avait pressé ses doigts froids en fredonnant la berceuse Hutu qu'il aimait tant, une complainte naïve, ponctuée de petits gémissements :

Mwana wantje ihii
Ninde ukuvuze ihii... *

Elle lui avait dit des mots tendres, ce petit nom surtout, dont elle connaissait la toute-puissance : Kitoko. Depuis combien de temps ne l'avait-elle pas prononcé? Vingt, trente ans? Plus, sans doute...

Kitoko, c'était son expression de fillette, trois syllabes magiques dont elle usait et abusait, ayant découvert – par hasard – leur effet sur l'Homme Blanc. Kitoko. Tout était dans l'intonation, le léger galop de la langue contre les dents. Dans la mimique également : les lèvres écartées comme pour un éclatant sourire, puis resserrées, et enfin arrondies en forme de baiser.

Une bouche de négrillonne prononçant ce mot-là, et de cette manière, c'était plus qu'une avance...

Bien sûr, à douze ans, Astrid ignorait cela. Mais ce qu'elle lisait dans les yeux de Jean éperonnait sa malice. Kitoko, Kitoko, Kitoko. Elle testait son pouvoir jusqu'à ce que le regard de l'Homme Blanc chavire.

Ninde ukurijije ihii, Kitoko... **

---

* Mon enfant, ihii/Qui t'a peiné, ihii....
** Qui t'a fait pleurer, ihii, Kitoko...

À force de chanter, Astrid avait fini par s'endormir.

C'est le hurlement de la chienne qui l'avait éveillée. Un brame de mort lancinant, effroyablement douloureux. Le pouls de Jean ne battait plus.

Astrid s'était bouché les oreilles avec horreur. Jusqu'au matin, elle avait tourné en rond dans sa maison, harcelée par cette clameur qui emplissait l'espace et lui donnait envie de hurler, elle aussi, en se roulant par terre.

Au matin, une ambulance avait emporté le cadavre. Alors Meisje s'était tue, et Astrid avait pu recommencer à penser.

Jean était mort seul, sans un adieu. Nulle voix aimée n'avait accompagné son départ. Ni la berceuse qui entraîne doucement vers le sommeil, ni le Kitoko nostalgique. Juste, chargée d'une angoisse indicible, la néfaste plainte d'une bête.

Une plainte qui obséderait Astrid à tout jamais.

9.

Je suis mort, d'accord, mais qu'est-ce que je fais dans ce chien ?

Non, ma question est mal formulée. Pourquoi

SUIS-JE un chien, avec un passé de chien, un instinct de chien, des impulsions de chien, et mes émotions d'homme, intactes?

Je n'ai jamais cru ni à Dieu ni au Diable, ni au bien ni au mal. Ni à la vie éternelle ni à la rédemption. Ni, *a fortiori*, à la métempsycose. Et pourtant... je ne vois pas d'autre explication.

Me serais-je... réincarné dans un chien, tout en ayant, par erreur, gardé la mémoire d'une existence précédente?

C'est une hypothèse plausible, après tout. En tout cas, la seule envisageable pour l'instant.

Poursuivons le raisonnement. Et si, à l'insu des vivants, c'était le lot commun des défunts d'accumuler des souvenirs en couches successives? Si chacun possédait la totalité de ses passés, rangés, telles des lasagnes, au fond de son cerveau? Quel trésor... et quel enfer!

Non... J'ai beau me torturer les méninges, je n'ai d'autres souvenirs que ceux de Jean.

Mais peut-être n'en suis-je qu'à mon premier karma? Un mort novice, en quelque sorte. Un apprenti revenant...

Bon, admettons... À présent, il va me falloir apprivoiser ce nouveau moi-même – que, par ailleurs, je semble si bien connaître. Investir ma nouvelle chair.

J'agite une patte, deux. Les muscles répondent. C'est fabuleusement enivrant, surtout comparé à mes sensations précédentes. De vieux et paralysé que j'étais, me voici jeune, souple, plein d'une triomphante bestialité.

Je lève la truffe, je hume. Un fumet m'assaille les narines, impulsant à mes nerfs un impérieux signal. D'un bond, je me dresse et je file comme une flèche en direction de l'odeur. L'explosion de mes sens me comble.

Le paysage défile à toute vitesse. Le vent me siffle aux oreilles. Je cours, le nez au ras du sol, la foulée ample, parfaitement maître de ce corps prodigieux. Un violent sentiment de puissance – que dis-je, d'invulnérabilité ! – me possède. Je cours. Rien ni personne ne pourrait m'arrêter.

Si. Moi.

Je freine des quatre pattes. L'odeur est là, tout près, d'une formidable virulence. Imperceptible à l'œil mais assaillant mon odorat. J'y plonge le museau. Un bien-être sauvage m'envahit.

C'est une pisse de chienne.

La truffe écrasée sur le sol, je suis la piste. Je la suivrai jusqu'au bout du monde.

10.

La vaisselle terminée, une petite sieste s'impose. La digestion l'exige. C'est l'un des nombreux effets de l'âge, cette dolence d'après repas. Une halte nécessaire, pour laisser libre cours à l'œuvre des sucs gastriques.

Astrid se traîne jusqu'au fauteuil de velours grenat, dans lequel elle se laisse tomber. À tâtons, elle cherche la télécommande sur le guéridon, et l'actionne.

L'écran télé s'allume.

Infos. Elle zappe. *Tournez manège.* Elle zappe encore.

« Kate, mon amour, pourquoi tant de froideur ?

– De froideur, Jim ? Que devrais-je faire, selon vous, vous sauter au cou ? Vous offrir mon corps ?

– Oh, Kate, je vous aime... »

Astrid repose le zappeur, croise les mains sur son ventre, clôt les paupières. L'instant d'après, elle s'assoupit.

« Je ne suis pas à vendre, Jim... Ou alors très, très cher !

– Je suis prêt à payer le prix.

– Ah ah ah ah ! Qu'avez-vous donc à m'offrir de si précieux, mon pauvre ami !

– Ma vie ! »

Les ronflements d'Astrid couvrent l'insipide dialogue.

Dehors, un crachin impalpable empoisse l'atmosphère. Une myriade de minuscules gouttelettes pose un voile opaque sur les vitres. Arrachées aux branches par la bise de novembre, les feuilles des arbres fruitiers s'envolent en tourbillons.

11.

Depuis quand suis-je sur cette route, à suivre la piste de la femelle ? Je n'en ai pas la moindre idée. Le temps est différent pour les hommes et les chiens. Pour les vivants et pour les morts. À plus forte raison pour moi, qui ne me sens ni l'un ni l'autre – et les deux à la fois.

Quelle heure peut-il bien être ? Je l'ignore tout autant. Dans ces fagnes crépusculaires, à quelques nuances près, si peu de chose différencie les ombres diurnes des ombres nocturnes...

Je marche d'un petit pas pressé, l'œil aux aguets, m'orientant au flair. Longeant – sur ma gauche, par un automatisme dérisoire hérité d'*avant* – les fossés où stagne une eau noirâtre, les talus caillouteux, le bas-côté ourlé d'asphalte.

Parfois, une voiture me croise ou me dépasse. Il arrive qu'elle ralentisse, qu'un homme ou une femme – les femmes, surtout ! – se penche à la portière. Et les commentaires de fuser : « Oh, un chien perdu ! Pauvre bête ! Les connards qui abandonnent leurs animaux, on devrait les foutre en taule ! » Puis la voiture repart, ayant évacué son trop-plein de bonne conscience par la vitre baissée, comme une flatulence.

Moi, je poursuis mon chemin, indifférent à ces

fétides compassions. Je marche d'un petit pas
pressé. Trompé par un effluve, il m'arrive de
bifurquer, d'emprunter, le cœur battant, un sentier de traverse. De courir, nez au vent, vers la
senteur trompeuse. Puis, réalisant mon erreur, de
revenir sur mes pas et, dégrisé, de reprendre la
route qui file en droite ligne vers l'horizon
plombé.

Astrid...

Tandis que j'avance, poussé par le désir, ce
nom me hante comme une musique.

Astrid...

Je marche, l'oreille et la queue basse. La pluie
détrempe mon poil clairsemé par la gale. Dans
les ornières, mes pattes creusent un double cha-
pelet d'empreintes que l'ondée se hâte de remplir, me gratifiant d'une piste miroitante. Les
forêts de sapins succèdent aux forêts de sapins,
noires profondeurs au sol stérile, couvert
d'aiguilles, où stagnent, même en plein midi, de
cotonneux filaments de brume.

L'odeur de la chienne me tire vers l'avant.

Astrid...

De loin en loin, je traverse des hameaux :
quelques maisons en briques, très basses, frileusement recroquevillées sous leurs toits d'ardoises.
Elles se ressemblent toutes, proprettes et cir-
conspectes, conçues pour la pénombre, les vents
coulis, les bruines interminables, les chuchotis
malveillants. Leurs fenêtres, qu'obturent des

cataractes de dentelle de Bruxelles, me suivent d'un regard aveugle plein de sous-entendus.

J'habitais une maison semblable, avec Astrid.

Astrid...

Astrid, est-ce toi que je cherche, ou la chienne? Je ne sais plus très bien. En moi – dans mon moi double – les deux convoitises se confondent. Je marche d'un petit pas pressé, ma langue pendouillant mollement de ma gueule qu'empanache un halo de vapeur tiède...

Où m'entraîne mon instinct? Vers le coït libérateur ou vers la niche? Vers la femelle ou la maîtresse?

Sans crier gare, mon sang se met à bouillir. Ma libido bicéphale vient subitement de se fixer sur un objet, et cet objet est un souvenir. Celui d'une bouche.

Dans la peau noire, elle s'ouvrait, d'un rose obscène, révélant des gencives pâles et deux rangées de quenottes nacrées de salive.

Évoquer ces quenottes-là, leur tranchant, leur morsure, m'emplit le ventre de vertiges.

Mais Astrid ne mordait pas; pas encore. À douze ans, on n'est pas cruel. Elle rejetait la tête en arrière, ouvrait en grand ses lèvres insolentes, riait aux larmes, puis s'enfuyait. Je courais derrière, en sueur, les tempes comprimées, ahuri de soleil, foulant fiévreusement la terre rouge. Son rire tintait dans la fournaise.

Quelquefois, je la rattrapais.

12.

C'est un curieux bruit qui tire Astrid de sa sieste. Une sorte de grincement à répétition. Il lui faut un petit moment pour émerger et réaliser de quoi il s'agit.

On dirait une poulie mal huilée.

Ou...

Nom de nom, un pleur de chien !

Elle fronce les sourcils, s'arrache à son siège. L'esprit encore engourdi, elle traverse lourdement la maison. D'où cela peut-il bien provenir ?

De sous la porte d'entrée.

« Meisje ? » hésite la vieille femme.

Meisje est la seule chienne à des kilomètres à la ronde.

Meisje ? ... Impossible. La farouche bête ne l'a jamais approchée. À peine Astrid entrevoit-elle parfois sa silhouette, fouinant dans le fossé du Chemin Sous-Bois, ou l'entend-elle cavaler dans les feuilles mortes. Sans parler des hurlements nocturnes, bien sûr...

Prudemment, la vieille femme entrouvre le judas.

C'est bien un chien qui geint, allongé sur le seuil. Un bâtard inconnu, plutôt moche et extrêmement sale. Rien à voir avec la semi-louve d'Hugo.

Rassurée, Astrid ouvre la porte et, sans complaisance, apostrophe l'importun.

« Qu'est-ce que tu fiches là, toi ? »

13.

La voix courroucée me fait courir un frisson le long de l'échine, mais je ne bronche pas. Juste, ma plainte s'accentue à l'extrême et frise l'ultra-son. Le museau entre les pattes, l'œil implorant, je fixe Astrid de tout mon être.

D'où je suis, elle me semble immense. Mon regard monte vers elle par étapes : chaussons élimés, chevilles sombres, abdomen lourd ceinturé de wax, seins avachis sous le chandail tricoté main, gorge grasse, visage ridé, chevelure grise. L'examen est superflu, je la décrirais les yeux fermés.

De la voir, j'ai le cœur prêt à éclater. Je voudrais... Je voudrais me jeter sur elle, lui crier mon amour. La renifler jusqu'à en perdre conscience, jusqu'à tomber à ses pieds, ivre d'elle... Mais elle ne comprendrait pas, elle prendrait peur. Après tout, elle ne me connaît pas. Et elle n'aime pas les animaux.

Elle n'aime pas du tout, du tout les animaux. Les chiens, en particulier. La voici qui tape du pied par terre, comme une petite fille en colère.

« Veux-tu bien t'en aller, sale bête ! »

Je me lève, mais ce n'est que pour m'ébrouer. De mon poil trempé gicle une constellation de gouttelettes.

« Tu m'éclabousses, maintenant ! C'est un comble ! Allez, dégage ! Pshhh, pshhh, va-t'en ! »

Je me recouche. L'obstination est ma seule arme. Sous les coups, les insultes, le chien s'allonge aux pieds de son maître. Il lèche les chaussures qui le molestent. Nulle brimade n'entame sa confiance. Il se laisserait massacrer sur place – et en redemanderait ! – pour peu que son maître l'ait décidé.

Le chien est un con. Je suis un chien.

Astrid hausse les épaules avec agacement, rentre dans la maison, claque la porte. Me crie, de l'intérieur : « Tu te fatigueras avant moi ! »

Sur la pierre bleue du seuil, je flaire goulûment la trace de ses pas. Puis, la truffe collée au bas de la porte – cette fente à ras le sol, d'où transpire un peu de paradis –, je hume, éperdu. La griserie m'assomme.

Je m'endors, martelé par la pluie, la *drache*, comme on dit chez nous, et je rêve de jadis.

« *Kitoko !* » gloussait Astrid, *provocante comme savent l'être les fillettes prépubères. Et sa hanche maigre ondulait sous le pagne, si menue que mes deux mains auraient pu en faire le tour. L'adrénaline m'inondait les veines.* « *Kitoko* », *ça veut dire* « *Le Beau* » *en swahili.*

Elle coulait vers moi un regard en coulisse, pupille luisante, démesurée, mangeant l'iris et cernée d'une lunule d'opale. J'y lisais de telles promesses que tout mon être se tendait. Une grimace niait aussitôt l'invite. Et elle s'enfuyait dans un éclat de rire, faune femelle couleur de nuit.

Le sommeil des chiens n'est jamais profond. Un coup de vent estompe le fantasme. Retour au réel.

Je bâille, les oreilles soudées au crâne. À travers mes paupières mi-closes, je me repais du paysage avec des soupirs d'aise. Mon errance s'achève ici, dans ce jardinet que je connais par cœur. Gazon détrempé, haie de thuyas, petite allée bordée de pensées jaunes et mauves, cerisiers malingres, pommiers étiques... À l'arrière, le potager dont je devine, sans les voir, les rangs de choux frisés, d'oignons, de persil monté en graine. Et plus loin, de l'autre côté de la clôture, le Chemin Sous-Bois longeant la forêt et son demi-jour perpétuel.

Je l'emprunte mentalement.

À cent mètres à peine, retranchée derrière son rempart de sapins, se terre la cabane du Flamand. Un chalet de rondins d'inspiration canadienne.

De jour, à peine soupçonne-t-on sa silhouette mafflue, masse sombre dissimulée par une végétation plus sombre encore. Mais la nuit, ah, la nuit...

Cette nuit-là, ma dernière en tant qu'homme, ses fenêtres éclairées la trahissaient. Ses fenêtres, et le chant funèbre de Meisje, qui hurlait à ma place...

Je lève la truffe. L'odeur de la chienne me parvient par bouffées, âcre, exquise. L'odeur de la piste... Mon pelage s'électrise de plaisir.

C'est Meisje qui m'a attiré ici, vers ma maison. Meisje qui a concilié, par la magie de ses sucs glandulaires, mes aspirations d'homme et mes appétits d'animal. Meisje qui m'a ramené, sans le savoir, à Astrid.

Meisje-la-délectable.

Si les chiens souriaient, je sourirais. J'ai tant d'années côtoyé cette chienne – ces chiennes ! – sans en soupçonner les attraits...

Meisje est la troisième du nom. Sa mère et sa grand-mère ont sévi avant elle, dans le chalet des bois. Depuis plus de vingt ans, le bruit court, au village, qu'Hugo fait couvrir ses bêtes par des loups. Mais ce sont des ragots, bien entendu. Les médisances vont bon train, dans nos régions. Et on n'y aime guère les étrangers.

Je me rendors, les narines dilatées, un fumet d'urine dans l'âme. Sur les fils électriques, des nuées de corbeaux ricanent.

L'après-midi passe, de somnolences en veilles, sans que la pluie s'arrête un seul instant.

14.

Dans sa cuisine, Astrid tourne en rond en grommelant. La présence de ce chien sur le pas de sa porte la chiffonne. Que dis-je, la chiffonne? Lui met carrément les nerfs en pelote!

Et d'abord, d'où peut-il bien venir? D'une ferme de la région? Les paysans font grand usage de ces lamentables corniauds, hargneux et sous-alimentés, attachés vingt-quatre heures sur vingt-quatre dans les cours. En théorie, ils s'en servent comme gardiens. En réalité, comme souffre-douleur.

Les pauvres bêtes crèvent de haine à petits feux, quand les coups ne les tuent pas avant.

Lorsqu'un de ces martyrs parvient à s'échapper, il est irrécupérable. La captivité l'a rendu fou. On parle parfois, dans les journaux locaux, de ces féroces égorgeurs de bétail. Il y a même eu des cas d'enfants dévorés. La presse met les populations en garde contre ce genre d'accidents, hélas moins rares qu'on ne le pense.

Le chien-du-pas-de-la-porte est-il dangereux? Apparemment, non. Il semble même amical, avec ses bons yeux implorants. Mais on ne sait jamais.

Il doit avoir faim. Peut-on se fier à un animal affamé?

Non... Par contre, on peut le nourrir...

Le nourrir? Et quoi encore? Pour qu'il s'incruste?

Dans le frigo, il y a un reste de pot-au-feu. Plus très frais, il faut bien l'avouer. Astrid a même été tentée de le mettre à la poubelle, ce matin.

Il serait sans doute mieux dans l'estomac du chien qu'au milieu des ordures. On peut ne pas aimer les bêtes et avoir pitié d'elles.

La vieille femme sort une assiette ébréchée du buffet, y verse le contenu de la casserole. Pose la casserole vide dans l'évier, la rince. Regarde l'assiette avec perplexité. Se traite mentalement de conne et la remet au frigo, après l'avoir couverte d'une feuille de papier alu.

« Si je lui donne à bouffer, je n'arriverai plus à m'en débarrasser! » bougonne-t-elle.

Au même instant, elle lève les yeux vers la fenêtre et pousse un cri.

15.

Le frôlement m'a alerté avant même que j'en prenne conscience. Un bruit infime, quasiment imperceptible et éminemment menaçant. Je dresse les oreilles, je les oriente dans la bonne direction.

Quelqu'un rôde dans le jardin. Je sens sa présence jusqu'au fond de mes tripes. Avec un grondement, je me redresse et contourne la maison.

Estompée par le brouillard, une ombre est penchée vers la fenêtre de la cuisine, où elle cogne d'un doigt recourbé.

De la pièce s'échappe un cri d'effroi. Crocs en avant, l'écume à la babine, possédé par une rage que je ne contrôle pas — une vraie rage de chien de garde! —, je me jette sur l'ombre.

Un feulement étouffé. L'ombre tourne les talons et s'enfuit. Elle porte une houppelande dans laquelle le vent s'engouffre, et que sa course déploie largement autour d'elle. Je la poursuis en aboyant jusqu'à la haie de thuyas qu'elle franchit d'un bond. Bientôt, les bois l'avalent.

Derrière le carreau tavelé de bruine, Astrid a suivi mon manège. Ses lèvres tremblent. Dans ses yeux où pupille et iris se confondent, la peur tournoie.

La peur, et autre chose aussi. Une sorte de... gratitude.

Ma mission accomplie, je retourne à mon poste, la conscience en paix.

Une démarche pesante. La porte s'ouvre à nouveau. Une écuelle est posée à même le seuil : de la soupe, du pain trempé, des restes de pot-au-feu.

« Tu as faim ? »

Si j'ai faim ? Mes entrailles beuglent ! En trois lampées, j'avale tout, y compris les os que je ne prends même pas la peine de mâcher. La saveur familière me submerge de bien-être.

Astrid m'observe sans mot dire, les bras croisés sur ses mamelles. Puis, une fois l'assiette récurée : « Allons, entre ! » soupire-t-elle.

Le cœur en débandade, j'obéis. À la suite de ma bien-aimée, je réintègre ma tanière, escortant pas à pas les chaussons élimés, les chevilles noires, l'ourlet de batik. Les lueurs rases du couchant étirent nos deux silhouettes sur le pavement ciré du corridor. L'horloge du salon sonne la demie de cinq heures.

16.

« Je fais une connerie, je fais une connerie », se répète Astrid, en observant d'un œil navré les traces de pattes sur le carrelage.

Cette cochonceté de bête dans son univers d'encaustique, c'est un peu le loup dans la bergerie. L'éléphant dans le magasin de porcelaine. De quoi horrifier n'importe quelle ménagère digne de ce nom !

« Si un jour on m'avait dit que je craquerais pour un roquet... »

Craquer, est-ce le mot qui convient ?

De l'autre côté de la vitre, le paysage a retrouvé son calme. Il est vide, à nouveau, comme du vivant de Jean. Mais ce n'est qu'un répit. La houppelande peut resurgir à tout instant.

« Pas devant un roquet, devant un molosse ! rectifie Astrid. Et je ne craque pas, j'assure ma défense, nuance ! »

Elle sort la serpillière, essuie les fleurs de boue qui émaillent le sol. S'enferme avec le chien dans la cuisine, histoire de limiter les dégâts. Puis, s'adressant à l'animal, les poings aux hanches : « Qu'est-ce que je vais bien pouvoir faire de toi ? » jette-t-elle, sans indulgence.

Comme s'il comprenait qu'il a intérêt à s'écraser, le chien rampe sous la table.

17.

Je rampe sous la table, tout plat, l'oreille couchée, pétri d'humilité. Dans une attitude de soumission qui appelle le sévice. La servilité des chiens est une arme de séduction confinant au génie. Peu d'humains y résistent. Nous lui devons des millénaires d'indéfectibles côtoiements, d'esclavage consenti, que les Maîtres ont le toupet d'appeler amitié.

Victoire, ça marche! Astrid se courbe, tente une vague caresse du bout des doigts. Osant à peine croire au miracle, je lèche sa main avec vénération.

« Et tu es dégoûtant, en plus, espèce de sac à puces! s'exclame-t-elle, toute crispée de répulsion. Ma parole, la vermine te dévore tout vif! »

Sac à puces, a-t-elle dit? Vermine? Par simple courtoisie, je me gratte. Il faut toujours donner raison au Maître, c'est inscrit dans nos gènes de toute éternité. J'y trouve, d'ailleurs, une indicible jouissance physique. *Grat, grat, grat...* Consciencieusement, ma patte arrière laboure mon cou, là où les croûtes corrodent le poil.

Astrid fronce un nez réprobateur. La même grimace, exactement, que jadis, en Afrique. La voici, par la grâce de cette mimique, rajeunie d'un demi-siècle.

Lorsque, après une poursuite ponctuée de gloussements, je la capturais enfin, elle me jetait au visage ce froncement naïf. Je l'enfermais dans mes bras, et d'une lèvre avide je gobais la grimace. Ma langue compulsait les petits bourrelets de chair et suivait le pourtour des narines, sondant de la pointe leur muqueuse duveteuse. Puis descendait vers l'impudique bouche rose. Je n'avais jamais le temps de l'atteindre : en trois contorsions, la négrillonne m'échappait. De loin, je l'entendais rire. Sa bouche rose n'avait d'autre fonction que de rire...

Aujourd'hui, la couleur de cette bouche est moins ardente, moins violemment charnelle. Cinquante ans de baisers l'ont ternie.

« Allez, hop, viens que je te nettoie ! » ordonne Astrid en me poussant du pied vers la salle de bains.

Me nettoyer ? Quelle horreur ! Je me plaque au sol en grondant. Vaguement effrayée, elle s'emporte.

« Ne t'imagine pas que tu vas faire la loi chez moi, affreux corniaud ! Si tu veux rester sale, tu n'as qu'à foutre le camp ! »

Elle tend l'index vers la porte. Penaud, je me laisse entraîner.

Me voici dans le bac à douche. Je tremble. Un jet tiède et dru s'abat sur moi, un shampoing parfumé outrage mon pelage. C'est la première fois qu'on m'impose un tel traitement. La peur me tord le ventre.

Les paumes d'Astrid – ces plages de peau claire, comme décolorées par un demi-siècle de contact avec l'épiderme blanc, MON épiderme, à force de caresses mimétiques – me frictionnent avec vigueur. Elle y met tant d'entrain qu'elle s'essouffle.

« Làààà... Une fois que tu seras propre, on s'entendra bien mieux, toi et moi... Mais donnant-donnant, hein ? Je te nourris, je t'héberge, tu me protèges... »

Le savon me rentre dans les oreilles, me pique

les yeux. Je lèche le poignet d'Astrid au passage, m'engluant les babines d'une mousse douceâtre que je m'empresse de baver. Je tousse, je crache, je pleure. Quand j'ai croisé le corbillard, dans les allées du cimetière, pouvais-je deviner que mon destin allait basculer de la sorte ?

C'était un matin tardif, l'un de ces matins d'automne où le brouillard retient dans ses filets les ombres de la nuit. Je n'étais encore qu'un chien, UNIQUEMENT un chien. Je zigzaguais entre les tombes, en quête de ces déchets que les vieilles déposent en douce à l'intention des chats : salmigondis de viande et de légumes, dans des barquettes de carton gras que le gardien ramasse en pestant.

Le camion noir est passé, suivi d'une procession de vieux. Je n'y ai pas prêté attention. J'en voyais tant, depuis ma naissance ! Depuis que ma mère m'avait mis bas, un soir d'été, bien des années auparavant, sur une dalle tiède bordée de cyprès...

Jamais je n'avais quitté ce territoire paisible, y trouvant gîte et nourriture en abondance. Et même des femelles, aux périodes de rut, que je saillais dans la pénombre des mausolées.

Le camion noir est passé, et soudain, je suis devenu un autre.

Ça s'est fait très vite et sans douleur. Les fossoyeurs n'ont mis en terre qu'une carcasse vide, dans sa boîte de sapin verni. L'âme du défunt – MON âme – avait trouvé un gîte.

Je n'ai pas réalisé tout de suite. Il a fallu que ma conscience d'homme se moule aux méandres de ce cerveau primitif. Que mon cerveau d'animal épouse cette nouvelle conscience, si dense, si complexe. Bref, que mes deux moi fusionnent, malgré tout ce qui les séparait.

Combien de temps a pris cette alchimie? Je l'ignore. Les morts et les chiens se moquent du calendrier. Mais au vu de la saison, moins d'un mois.

« Voilààààà... Ce n'est pas mieux ainsi ? »

Les giclures de la pomme de douche s'arrêtent. Astrid m'enveloppe d'une vieille serviette, tout en poursuivant son monologue. Car, je ne suis pas dupe : ce n'est pas réellement à moi qu'elle s'adresse. Je lui sers d'alibi, non d'interlocuteur. Astrid n'est pas femme à converser avec un chien !

De tout temps, elle s'est rassurée ainsi : en parlant seule. Elle a horreur du silence. Combien de fois l'ai-je surprise, s'entretenant machinalement avec elle-même ? Le son de sa propre voix lui tient, depuis toujours, compagnie.

« Bon, maintenant tu as mangé, tu es propre... Je vais te donner un coussin pour dormir. Et puis, il faut que je te trouve un nom... »

Je m'ébroue, aspergeant la faïence blanche des murs, le lino, le w.-c. pansu, les jambes d'Astrid. Cette fois, elle sourit : une complicité est née entre nous. Celle du bain, du savon, de l'eau claire. En me lavant, Astrid s'est emparée de moi. À présent, débarrassé de mes souillures, je lui appartiens. Elle a fait d'une bête errante son « propre » chien. Troublante similitude de termes.

Le coussin – ironie du sort ! – n'est autre que le second oreiller, MON oreiller, aujourd'hui inutile. Astrid l'emballe d'une taie rapiécée, le pose à terre, sur la moquette du salon. Éperdu de reconnaissance, je m'y allonge.

Elle s'assied dans son fauteuil, m'effleure l'échine du bout de son chausson. D'un regard soumis je l'en remercie.

« T'as une bonne tête de chien fidèle..., murmure-t-elle. Voilà, c'est comme ça que je vais t'appeler : Fidèle. »

Elle hausse le ton. « Fidèle ! Fidèle ! »

Je me lève en remuant la queue, et je pose mon museau sur ses genoux.

« Incroyable, tu as compris ! Tu m'as l'air intelligent, toi, comme animal ! Finalement, ce n'était peut-être pas une si mauvaise idée de t'adopter ! »

Prise au jeu, elle sort de la pièce, m'appelle de la cuisine. « Fidèle ! Aux pieds ! »

J'obéis, la queue basse, la truffe frôlant le sol. Ravie, elle applaudit.

À douze ans, elle applaudissait ainsi lorsqu'un « Kitoko ! » impératif me faisait accourir, toutes affaires cessantes.

« Kitoko ! » L'ordre puéril résonnait dans l'air surchauffé. Je plantais là patron, ouvriers, clients. Le bas-ventre aimanté, je m'élançais vers la négrillonne. Quand j'arrivais, elle me riait au nez. Moi, d'avoir entrevu cette bouche ouverte, ces muqueuses humides, cette langue, ces dents, je repartais comblé.

« Kitoko ! » M'a-t-elle fait tourner en bourrique, cette gamine !

Aujourd'hui, cinquante ans plus tard, elle crie « Fidèle » et je déboule, ventre à terre. Le Beau, Fidèle... flatteries de dompteur amadouant le fauve pour mieux le dominer.

Rien n'a vraiment changé. « Kitoko ! » Le contremaître blanc rampait aux pieds de sa maîtresse. « Fidèle ! », le molosse se change en toutou.

Le crépuscule nous surprend ainsi, jouant à cache-cache. Elle, croyant s'initier au rôle de maîtresse – qu'elle pratique depuis toujours –, moi, réinvestissant chaque pièce à sa suite.

« Fidèle ! » De la chambre au vestibule, du placard au cagibi, je la débusque. S'il y avait un étage, une cave, un grenier, je l'y débusquerais pareillement.

« Fidèle ! » Ma docilité l'enchante. « Finalement, c'est facile d'apprivoiser un chien ! » Un homme aussi, j'en témoigne. Jusqu'à ma mort, je n'aurai aimé qu'elle.

18.

À tout âge, on peut remettre ses certitudes en cause. Ce soir-là, en laissant Fidèle dormir sur sa carpette, Astrid balaie cinquante ans de préjugés.

« Si Jean savait ça... » pense-t-elle, mi-figue mi-raisin.

Elle qui n'a jamais supporté le moindre animal à la maison. Même un canari, même un poisson rouge...

Les poissons rouges, ça, c'était le dada de Jean. Il collectionnait les livres traitant du sujet. De gros albums cartonnés pleins de photos en couleurs, détaillant en long et en large les joies et les contraintes de l'aquariophilie. Mais sa passion s'arrêtait là : à l'idée d'avoir dans sa maison ces êtres frétillants, stupides, faisant inlassablement des bulles derrière les parois de leur bocal, Astrid sentait ses cheveux se dresser sur sa tête.

« Je ne supporterais jamais que ces petits monstres sans paupières me suivent des yeux vingt-quatre heures sur vingt-quatre ! déclarait-elle en frissonnant. Surtout quand je leur tournerais le dos ! Brrr, leur regard dans ma nuque... »

On ne va pas à l'encontre d'une telle répulsion. Jean s'était donc contenté, durant plus de quarante ans, de rêvasser devant ses aquariums de papier. En avait-il été frustré, pauvre homme !

Depuis qu'elle est seule, Astrid se couche de plus en plus tôt. À neuf heures, pouf! elle pique du nez devant la télé. Alors, bien sûr, elle ne comprend rien au film. Pourquoi, dans ces conditions, se forcer à suivre l'intrigue jusqu'au bout?

« Au lit! » a-t-elle décidé en éteignant le poste.

Docilement, le chien lui a emboîté le pas. C'est là qu'un problème crucial s'est posé : où Fidèle allait-il passer la nuit?

Dans un premier temps, Astrid a posé son coussin près du réchaud à gaz en ordonnant : « Couché! » Mais le chien a fait la sourde oreille et, placidement, l'a suivie dans sa chambre.

« Veux-tu bien sortir d'ici, sale bête! » s'est-elle écriée, en le ramenant dans la cuisine, dont elle a fermé la porte.

Cinq minutes plus tard, elle la rouvrait, hors d'elle.

« Tais-toi, Fidèle! Tu m'empêches de dormir! »

Mais Fidèle ne s'est pas tu. Il a même aboyé de plus belle, en grattant furieusement le chambranle. Astrid, furibonde, est revenue à la charge.

« Mais c'est insupportable, un raffut pareil! Qu'est-ce que tu veux, à la fin? Retourner dehors? »

Certes, non! L'instant d'après, sous les yeux sidérés de la vieille femme, le chien s'allongeait sur la carpette de la chambre.

Désormais, il l'avait décidé, sa place serait là et nulle part ailleurs. Non plus *dans* le lit – hélas ! – mais humblement dessous. Histoire de partager, quand même, les nuits d'Astrid.

« Bon, d'accord..., a ronchonné celle-ci en se grattant la tête. Mais juste pour ce soir, parce que tu viens d'arriver et que tu n'as pas encore appris à m'obéir ! Demain, pas question que je te cède. Tu verras qui de nous deux commande, ici, tête de mule ! »

19.

Au-dessus de moi, le corps pesant d'Astrid écrase le sommier. Elle se tourne nerveusement d'un flanc sur l'autre. Ma présence la rassure et l'inquiète à la fois. Que sait-elle de moi, après tout ? Que je l'ai choisie, défendue... Est-ce suffisant pour qu'elle me fasse confiance, et me livre son sommeil ?

Le menton posé sur mes pattes, je regarde luire les lames du parquet, titillées par un rayon de lune. Ces fugaces coulées de clarté me ramènent à une autre nuit. La première. NOTRE première...

C'était en... 47, je crois. À Matadi. Astrid avait treize ans, moi vingt-neuf. Une année de transes stériles, de vaines sollicitations, m'avait mené, en désespoir de cause, dans la case de Nboula, l'homme-tonnerre. En ce temps-là, pour s'emparer des femmes, peu de Blancs avaient recours à la sorcellerie, lui préférant des arguments civilisés : la force ou l'argent. Mais le viol me répugnait, la corruption également. Je voulais Astrid intègre et consentante. Or, Astrid se jouait de moi. Astrid ne m'aimait pas. Son rire faisait barrage. Seul un pouvoir occulte pouvait en venir à bout.

« Par-delà la mort », a dit Nboula. C'était sa formule : « Par-delà la mort. » Sans trop y croire, j'ai tout accepté. Nul sacrifice n'était trop grand pour posséder la négrillonne. Une amulette d'indigotier maculée de sang a scellé le pacte.

Quand Astrid s'est laissé gravement allonger sur le drap, dans les replis de la moustiquaire, elle portait l'amulette autour du cou. Je la lui avais offerte une heure auparavant. Le cadeau l'avait ravie : une tête de buffle adroitement sculptée dans du bois tendre de garga *, et teinte en pourpre. Elle s'en était aussitôt parée. Depuis, elle ne riait plus.

J'ai retiré son pagne sans qu'elle se défende.

Son corps de sauterelle maigre m'a embrasé. D'autant que deux seins étonnamment lourds, étonnamment fermes, deux seins de statue, grevaient sa frêle cage thoracique.

Le clair de lune tropical, pénétrant par la

---

* Garga : indigotier.

véranda, vernissait sa peau noire. Les cuisses étroitement jointes, Astrid ne bougeait pas, mais une respiration oppressée soulevait son torse par saccades. Avec une dévotion de jeune communiant, j'ai happé la mince estafilade fendant son pubis glabre.

Cette nuit-là, par la magie ancestrale du gri-gri, elle n'a pas ri une seule fois.

Dans le noir, la voix d'Astrid s'élève, curieusement étouffée par l'obscurité.

« Tu es là, Fidèle ? »

Si je suis là ! À tout jamais, je le jure ! Par-delà la mort !

Je me redresse, et ma truffe frôle ses doigts abandonnés, à l'extrémité du matelas. Elle frissonne.

« Je déteste les chiens... » grogne-t-elle, en ramenant sa main.

Si j'étais encore humain, je rigolerais. « *Souvent femme varie* », affirme la chanson. J'ignorais à quel point !

« *Ça salit, disait-elle, jadis. C'est méchant. Ça aboie sans raison, ça réclame sans cesse à manger, ça coûte cher.* »

Lorsque Meisje, hurlant à la lune, la réveillait en sursaut, il fallait l'entendre râler ! Maudire ces « cochons de voisins et leur foutue bâtarde ». Pour l'apaiser, je l'enlaçais. Les sanglots de la chienne ponctuaient notre étreinte.

« ... mais j'ai trop peur de la solitude dans ce

trou perdu... Je me sens si vulnérable... Je ne parle à personne, je ne sors plus de chez moi, je tourne en rond... Il m'arrive de rester des jours et des jours sans voir âme qui vive... Si ça continue, je vais devenir folle... J'ai besoin de compagnie, de protection... »

Nous nous regardons dans la pénombre. J'avance la tête, je pose mon museau sur le drap, tout près d'elle. Je gémis doucement. Sent-elle combien je l'aime, dans le frémissement de mes narines, dans mon haleine chaude qui monte vers elle, dans mon ridicule couinement de chiot?

D'un geste brusque, elle me chasse.

« Tu baves sur ma couette ! »

Je m'efface, l'odorat en extase. Imprégné d'elle. Les sinus gorgés de sa grasse odeur de négresse vieillissante, dont je vais me repaître jusqu'au matin, à petites goulées gourmandes, couché sur la carpette.

Astrid avait vingt ans à peine quand nous avons emménagé ici. Cette solitude, je l'avais souhaitée. Elle aussi. Nous étions las des ragots, des sous-entendus, des ricanements et des aigreurs que suscitait notre couple. Pensez donc : un Blanc et une Noire, même pas mariés de surcroît ! Affirmant publiquement leur liaison, faisant étalage de leur péché avec une exécrable complaisance ! Un tel affront à la morale se payait cher, dans les années cinquante. Surtout parmi les populations ardennaises. *L'Ardennais est conservateur, puritain, et empreint d'un patriotisme farouche. Le déclin des Colonies exacerbait ses pulsions racistes. Astrid fut taxée de macaque, de guenon, moi de dépravé de la pire espèce. Des pratiques zoophiles n'eussent pas provoqué pire levée de boucliers. Minés par quatre ans de ce régime, nous avons fui.*

Embauché comme conducteur de travaux sur les réseaux routiers de l'est de la Belgique, je sillonnais des régions désertes : fagnes marécageuses, contreforts montagneux tapissés de bruyères, arides plateaux rocheux. Un jour, je suis tombé sur cette maison isolée, adossée à sa forêt de sapins. Elle était à vendre, je l'ai achetée. J'avais trouvé l'écrin de mon diamant noir.

Les hivers sont rudes, à cette altitude. Les étés venteux. Le ciel toujours en colère, bouillonnant de nuages. Uniques occupants d'une contrée de brumes et d'intempéries, c'est en propriétaires que nous la parcourions. En seigneurs. À perte de vue, elle nous appartenait. Nous la sentions nôtre, jusque dans ses recoins les plus secrets.

C'est dix ans plus tard que les Flamands sont arrivés. Alors, nous avons clôturé le jardin.

20.

Aube grisâtre. Astrid s'étire, inspecte son univers d'un regard incertain. Aperçoit le chien. Sursaute.

« Fidèle... Je t'avais oublié... »

Elle s'assied, ragaillardie. Les réveils solitaires, ce n'est pas drôle. Une compagnie, fût-elle d'un animal, ça aide à aborder le jour.

Quelque part dans le lointain, un coq enroué chante.

La femme et le chien se regardent, lui le museau levé, elle, penchée. Fidèle remue la queue.

« Il ne te manque que la parole ! » sourit Astrid en étouffant un bâillement.

21.

Astrid se lève tôt. Cinquante ans de vie commune avec un chef de chantier l'ont accoutumée aux petits matins blêmes, où l'on grelotte en préparant le thermos et les tartines de lard. Même les dernières années, quand j'étais à la retraite, elle s'éveillait avant le soleil.

Les paupières mi-closes, je suis des yeux ses allées et venues. Instant de bonheur suprême. Il s'en faudrait de peu que je ne me croie revenu avant, tant les rites quotidiens sont demeurés immuables. Chaque accessoire est à sa place : les chaussons où elle glisse ses pieds, le peignoir en nylon matelassé qu'elle enfile, le rideau qu'elle écarte pour regarder dehors. Le miroir de la coiffeuse où elle s'examine en soupirant.

Jadis, ses matins étaient frais et lisses. À quinze, vingt, vingt-cinq ans, dormir ne laisse pas de séquelles. Les bouffissures, l'avachissement, ça vient plus tard. Au fil des années, chaque réveil s'avère un peu plus amer que le précédent. On remonte courbaturé de l'immersion du sommeil, flétri, affublé d'un masque grotesque. De plus en plus fourbu, jusqu'à l'ultime plongée.

Sans illusion, Astrid masse la peau froissée au-dessus des pommettes, pétrit l'arc chiffonné des lèvres. Palpe les rides d'expression. Puis hausse les épaules et s'éloigne lourdement, ayant, une fois encore, touché l'âge du doigt.

Je suis sur ses talons, harcelant ses jarrets de la truffe. Le message est clair, même pour quelqu'un qui « déteste les chiens ».

« Toi, tu veux sortir ! » devine Astrid.

Exact : j'ai la vessie pleine à craquer.

Elle m'ouvre. L'atmosphère poisseuse me saisit de plein fouet. Dans une explosion de vitalité, je me rue dehors. Mes poumons éclatent, mes muscles fourmillent. Je cours à perdre haleine, droit devant moi, traversant la pelouse, franchissant la haie d'un bond, galopant vers l'orée de la forêt. Et là, je m'arrête enfin, pour pisser parmi les fougères, la truffe au vent.

Astrid m'observe depuis le pas de la porte, les sourcils froncés. Elle doit se demander si je vais revenir. Avant de rentrer, elle m'adresse un petit signe, mi-autoritaire, mi-implorant. Je la rassure d'un jappement joyeux, puis je repars. J'ai mon territoire à reconquérir.

Cent mètres plus loin, un aboiement m'accueille. J'y réponds à pleine voix, ma queue battant mes flancs. Derrière le grillage qui clôt son domaine, Meisje rôde.

Le grillage est haut, infranchissable pour elle comme pour moi. À travers les mailles d'acier, nous nous flairons mutuellement, parcourant du même pas rapide toute la longueur de la clôture, puis revenant, les museaux soudés. Ce n'est pas encore le moment des chaleurs. L'odeur de la chienne est supportable. Bonne mais supportable. On ne perd pas le nord en la sentant. On a juste l'abdomen en feu, l'espace d'une reniflette.

Dans le petit matin, la fourrure de Meisje, cette fourrure de louve, a des reflets cendrés. Ses muscles puissants jouent dessous. C'est une bête splendide.

Un sifflement interrompt le cérémonial. Hugo est jaloux. Il n'admet pas qu'on approche sa

chienne. Sans une hésitation, celle-ci fait demi-
tour. Mais son âpre senteur de musc continue de
flotter. Alors je lève la patte et j'inonde le grillage, consciencieusement, tout du long.

Hugo vit seul, maintenant, dans le chalet du
bois. Que âge peut-il avoir ? Pas loin de la quarantaine, mais avec ces gens-là, c'est difficile à
dire. Le temps ne les marque pas de la même
manière que nous. Leur visage plat, lunaire, ne
semble pas comptabiliser les ans. Ils s'épais-
sissent, se courbent, souffrent d'arthrose, de rhumatisme, mais gardent un faciès de fœtus
conservé dans le formol.

*Quand les Demoort ont emménagé, Hugo avait
six ans. Il suivait sa mère partout, cramponné à
l'ourlet de sa robe. Il ne parlait pas : les Flamands
sont taiseux par nature, et les mongoliens géné-
tiquement. Alors, un mongolien flamand... Il
poussait juste des sons informes, d'une bouche
béante toujours lustrée de bave et en apparence
édentée. C'était assez laid.*

*Je n'ai jamais compris l'attendrissement
d'Astrid.*

*Par après, je crois qu'il a appris des rudiments
de langage. En tout cas, il dit « Meisje », et la
chienne reconnaît son nom.*

*La mère était plutôt jolie, le père quelconque.
Tous deux farouches et peu communicatifs. Nous
n'avons jamais eu de rapports de bon voisinage.*

Pourtant, ce n'est pas faute d'avoir essayé, en ce qui concerne Astrid, du moins! Elle fondait beaucoup d'espoir sur eux, au début.

Godelieve et Willem Demoort. Un couple de Flamands en pays wallon. Des rejetés, eux aussi. Des étrangers. Ça aurait dû nous rapprocher. Mais leur rideau de sapin les isolait du monde, et de nous. Astrid a fini par l'admettre. Ça n'a pas été sans mal.

Aujourd'hui, il ne reste qu'Hugo. Autant dire personne.

Meisje ne sortira plus ce matin, j'en ai la conviction. En dernier recours, je frotte mes pattes par terre, dans les aiguilles de sapin. Le message sera clair, pour elle, si elle flaire ma trace. La sueur de mes coussinets est saturée d'hormones mâles.

Là-dessus, je rentre au logis, guilleret.

Astrid déjeune à la table de la cuisine. M'ouvrir n'interrompt pas le jeu de ses mâchoires sur la tartine d'edam. Elle semble contente de me récupérer. Je lui manquais déjà. Jamais je n'aurais cru qu'elle puisse s'attacher à un animal, surtout si vite. Faut-il qu'elle soit en manque d'affection, pauvre choute...

En mourant, je n'ai pensé qu'à ça. Ça a gâché mes derniers instants. Elle n'avait que moi.

Elle n'avait que moi comme je n'avais qu'elle. Ainsi l'avais-je voulu en l'emmenant ici. Nous étions des Robinson échoués dans notre île de brique rouge, et que toute séparation mutilait. Ma disparition l'a rendue à jamais infirme.

À la réflexion, voilà sans doute pourquoi je suis revenu.

« *Par-delà la mort.* » Un vertige me prend. Je viens peut-être d'entrevoir la vérité. Du plus profond de moi, je bénis le gri-gri.

Elle s'empresse, m'emplit une gamelle. C'est sa manière à elle de montrer son amour. Astrid n'est pas démonstrative. Contrairement à moi, elle n'a jamais su dire « je t'aime ». Mais ses soupes parlent pour elle.

Les poireaux-carottes-pommes de terre fondent sous la dent. Je m'en repais avec avidité. Elle me regarde manger, les bras croisés sur la bavette du tablier. On dirait qu'elle assiste à la messe.

Que fait-elle de ses journées ? Ce qu'elle en a toujours fait, certainement. À la seule différence qu'elle ne guette plus, à la tombée du jour, le bruit de ma voiture. Mais pour le reste, elle doit briquer, touiller, vaquer petitement comme toute femme au foyer. Et suivre les feuilletons télé à heure fixe.

Son emploi du temps n'a pas trop changé, en somme. Mais ses soirs... Mais ses nuits !

Ses nuits, voilà la différence. Avant, c'étaient *nos* nuits ! Cinquante ans de moiteurs partagées, à s'écouter respirer l'un l'autre dans le silence. À s'éveiller ensemble, pour l'exil quotidien.

Et puis la retraite est venue – à septante ans, car j'étais vigoureux et le travail ne manquait pas! – et ça aussi, ça a changé les choses. Finis les départs dans le petit jour glacial, les retours au crépuscule. Nous pouvions enfin nous consacrer totalement l'un à l'autre. Huit ans de cohabitation quasi permanente. Surtout les dernières semaines, après mon attaque.

Me perdre après ces semaines-là, de soins continuels, de petites attentions, d'admirable et constant dévouement, quel vide ça a dû faire!

Mais les regrets n'ont jamais ressuscité personne. Elle a dû pleurer toutes les larmes de son corps, maudire la destinée, prier peut-être, puis se résigner. Il a bien fallu, vaille que vaille, qu'elle réapprenne à vivre, qu'elle retrouve son rythme d'*avant*. Des occupations de femme. La vaisselle, le repassage, la cuisine, les poussières. Les feuilletons à heure fixe. Et même un peu de jardinage, puisque je n'étais plus là pour biner les plates-bandes.

Elle finira sans doute ainsi : le torchon à la main, de la terre sous les ongles.

Mais ce jour-là, je serai près d'elle pour lui lécher les doigts. « *Par-delà la mort.* » L'homme-tonnerre l'a dit.

. Mais le mien demeure vacant, et son
perpétuellement rebondi. Lorsqu'elle
ses émissions, Astrid n'a plus pour
ce qu'une absence.

y a un truc que je ne veux pas rater », dit-
en allumant le poste.

e me couche à ses pieds, le menton à plat sur
chausson. Ses chevilles ont toujours la même
deur, mais le temps les a épaissies. De membres
ins tout en tendons, il a fait ces chairs gorgées
d'eau. Je les honore néanmoins d'une langue
déférente, comme jadis le jarret nerveux dont
j'aimais goûter la saveur poivrée. Astrid se tortil-
lait, gloussait : « Tu me chatouilles ! » et écartait
les jambes. Les petites filles aiment bien qu'on
leur lèche les pieds.

Ce qu'Astrid « ne veut pas rater » est un docu-
mentaire sur l'Afrique. Bientôt, il capte toute son
attention.

La mienne également. J'ai les yeux rivés à
l'écran.

Des séquences de savane défilent. Une voix
monocorde commente le reportage, en termes
d'une platitude à pleurer. La course des gazelles
est qualifiée d'« ailée », le guépard tapi dans les
hautes herbes de « féroce prédateur ». Le flanc
pantelant de la victime de « robe tachée de
sang ». Mais Astrid n'écoute pas, elle fixe juste
l'image.

Comme la caméra balaie un village, elle pousse

Tout ce que voit Astrid quan
sont les giclures de soupe sur le
l'irrite, oh, que ça l'irrite ! Les bras
bavette du tablier, elle les comptabi

C'est ça, le problème, avec les an
salissent tout.

Depuis la mort de Jean, elle ne nettoi
que ses propres souillures. On désapprend vi
s'occuper d'autrui, quand on vit seule !

Dès que Fidèle a terminé : « Pssshhh,
pssshhh ! » fait-elle, pour le chasser.

Handicapée par son embonpoint, elle se baisse
en soufflant trop fort et éponge les dégâts. Le
chien l'observe, la tête penchée de côté. Il a l'air
de trouver ça normal, qu'elle se casse les reins
pour lui. Normal et plutôt amusant.

« T'es bien un mâle, toi ! » lui crache-t-elle.

23.

Mon fauteuil est resté à sa place, dans le salon.
Celui d'Astrid aussi. Ils se côtoient toujours, face

une curieuse plainte. Surpris, je dresse les oreilles.

Dans ses pupilles dilatées, je vois se refléter le film.

Quand le générique apparaît, elle éteint. Puis se lève et va à la fenêtre, soulève le rideau. Une trace de buée souille bientôt la vitre, à l'emplacement de sa bouche.

« Je hais les Ardennes... », dit-elle sourdement.

Trois coups de klaxon l'interrompent.

Elle laisse retomber le rideau, passe par la cuisine prendre son porte-monnaie, et sort. Devant la maison est garée une camionnette : la vieille VW de l'épicerie.

« Alors, madame Astrid, qu'est-ce que ce sera, aujourd'hui ? »

Pesamment, elle s'approche, choisit quelques denrées : des pâtes, du lait, du beurre, un peu de charcuterie. Je la suis pas à pas.

« Tiens ? Vous avez un chien, maintenant ? » s'étonne l'épicier.

Elle hoche la tête.

« Y a pas à dire, c'est quand même une compagnie, poursuit-il, avec une volubilité bon enfant. D'ailleurs, ces bêtes-là sont souvent meilleures que les gens. Comme je dis toujours : plus je connais les hommes, plus j'aime mon ch...

— Donnez-moi aussi une boîte de Canigou », coupe Astrid.

Il la sert, vaguement vexé, rendu sans ménagement à son rôle subalterne. Elle paie, prend le sac plastique qu'il lui tend. Tandis que nous regagnons la maison côte à côte, la camionnette s'engage dans le Chemin Sous-Bois. Sa tournée bihebdomadaire passe par le chalet. Hugo a, lui aussi, besoin de provisions.

24.

Tout en épluchant ses pommes de terre, Astrid soliloque. Assis près d'elle, le museau pointé dans sa direction, immobile et ne cillant pas, Fidèle boit ses paroles.

« Ce chien a peut-être quelques inconvénients, mais il offre aussi de nombreux avantages, pense-t-elle, tout en parlant. Pour la conversation, entre autres... »

Jean, lui, l'écoutait distraitement ou pas du tout. Son babil d'enfant, puis d'adolescente, s'était d'ailleurs tari au fil du temps. Entre eux sévissait le silence maussade des vieux couples. À la fin, Astrid ne conversait plus qu'avec elle-même.

Maintenant, au moins, elle a un auditeur.

« À l'école de Matadi, on nous disait qu'ici, c'était le plus beau pays du monde. Les sœurs avaient les larmes aux yeux en l'évoquant... »

Les mains d'Astrid dansent sur le tubercule. Fidèle ne les quitte pas des yeux, fasciné. La fine lamelle brune, crottée de terre, s'allonge telle un serpentin, puis tombe sur le papier journal où elle s'enroule en spirale. Les bonnes ménagères retirent la peau d'un seul tenant. Après, de la pointe du couteau, elles extraient les yeux.

« ... Mère Marie-Léontine n'aimait pas le Congo. Elle prétendait que nous, les nègres, étions mauvais. La fièvre tombant du ciel faisait bouillir notre sang, cuisait nos épidermes, troublait nos esprits. Dieu nous donnait un aperçu de l'enfer en jetant son feu céleste sur nous. Nous étions noirs, carbonisés, couleur du Diable. Les missionnaires blancs, vêtus de blanc, et bâtissant des écoles blanches, des églises blanches, des hôpitaux, faisaient, par contraste, figure d'anges. Le sol dont ils étaient issus ne pouvait qu'être bon... »

Elle émet un léger ricanement, lève la tête vers la fenêtre aux carreaux gras de bruine. Embrasse d'un long regard l'herbe marbrée de flaques, les thuyas rabougris, le sentier boueux serpentant dans l'obscure profondeur des bois.

« Pour toutes les petites négresses qui écoutaient ces bobards, la Belgique était un paradis terrestre peuplé de séraphins... »

Posant son couteau parmi les épluchures, elle se perd dans une longue rêverie mélancolique.

Assis, imperturbable, Fidèle écoute son silence

avec la même attention que, tout à l'heure, ses paroles.

« Quand l'homme blanc m'a prise, je me suis sentie bénie, reprend Astrid, plus bas. C'était un grand, très grand honneur. J'ai commencé par résister, pour suivre les préceptes de mère Marie-Léontine... »

Elle émet un petit rire sans joie. Un petit rire grelottant, plein d'une sourde rancune.

« Mère Marie-Léontine... Elle prétendait que *Koukounié* *, c'était bon pour les bêtes. " Tant que les négresses écarteront leurs cuisses, tempêtait-elle, ce seront des femelles, non des femmes. Les saintes sont vierges, les religieuses aussi. Et toutes les Blanches jusqu'au Sacrement du Mariage. Marie Mère de Dieu a conçu sans pécher. " Sans pécher, tu te rends compte, Fidèle ? Sans pécher... Je n'aurais pas demandé mieux ! »

Le rire s'accentue, flirtant avec les larmes.

« Mais moi, j'ai fait l'inverse : j'ai péché sans concevoir... »

Comme s'il saisissait toute l'ampleur du propos, le chien pousse son museau vers les doigts à présent inactifs. Du bout de l'index, Astrid le grattouille distraitement.

« Je savais ce que cherchait le Blanc quand il courait derrière moi, Fidèle. J'avais envie de lui plaire. Mais je voulais être une femme, pas une

---

* Koukounié : copuler.

femelle. Et qu'il me traite comme une Blanche. Un an, j'ai tenu bon. Puis j'ai cédé, pour ne pas qu'il se lasse. Pas question de laisser passer ma chance... »

Les patates, dépourvues de leur pelure, se dessèchent lentement sur le papier journal. Astrid repousse sa chaise, se lève. Se rend à l'évier. Y lave ses légumes, avant de les jeter dans la marmite fumante.

« ... Je voulais connaître le pays des anges... »

Quelque chose tremble dans ses yeux. Une vapeur. Une eau. À nouveau, Fidèle sollicite sa main du museau. Le contact glacé de sa truffe fait frissonner la vieille femme.

« Il est froid, le pays des anges. On y grelotte. Voilà cinquante ans que j'essaie en vain de me réchauffer. »

25.

La soupe gazouille dans la cuisine. Allongé sur le flanc, dans le plus total abandon, je me laisse bercer par ce chant domestique à nul autre pareil. Ce chant d'amour et de félicité.

Astrid a sorti son panier à couture et chaussé ses lunettes. À petits points précis, elle ravaude un torchon. Elle est belle, quand elle coud.

Émouvante. De mon vivant, lorsqu'elle s'adonnait à cette occupation, il m'arrivait souvent de l'interrompre en lui prenant les mains. Elle protestait, me menaçait du bout de son aiguille. En riant, je retirais le dé couronnant son majeur. Sous le caparaçon de métal, la peau était humide et douce comme une muqueuse. J'y promenais longuement mes lèvres.

Aujourd'hui, mieux vaut somnoler. Si je m'avisais de fourrer mon nez dans son ouvrage, elle serait bien capable de me piquer la truffe!

Astrid cousait ainsi, quand les Flamands sont arrivés.

On les a vus débarquer un dimanche matin de printemps, à quatre dans une vieille jeep de l'armée allemande. Willem Demoort et trois autres hommes, de la famille sans doute. Des frères ou des cousins. Ils faisaient un tel ramdam que nous avons couru à la fenêtre, avec l'impression d'être envahis par une horde de barbares.

C'en était fini de notre tranquillité.

Ils ont déboisé une clairière, à quelques kilomètres, et durant des semaines, ont tracté les troncs. Puis les ont débités en poutres et en poutrelles.

Construire un chalet de rondins dans les Ardennes, je vous demande un peu! Mais c'était par mesure d'économie.

Astrid suivait avec passion la progression des travaux, et j'avais droit chaque soir à un rapport détaillé. Cette incursion dans son univers, loin de lui déplaire comme à moi, l'avait rendue étonnamment gaie. Elle échafaudait des projets pour quand nous aurions « des voisins », en parlait déjà comme de vieux amis. Pourtant, ils n'étaient guère liants. Ses manœuvres d'approche s'étaient soldées par des échecs cuisants. Les nouveaux venus se débrouillaient mal en français, et lui répondaient par un baragouin guttural, et d'une brièveté frisant l'impolitesse.

Plusieurs fois, elle leur avait porté de la soupe. Ils l'avaient acceptée avec circonspection, sans lui en être le moins du monde reconnaissants.

Au lieu de bâtir la maison en bord de route, ils l'ont nichée dans les sapins, tout au fond du terrain. Leur volonté de retranchement était claire. Il ne nous restait plus qu'à nous y conformer.

Ce fut une déception immense pour Astrid.

Mais elle a repris espoir une fois le chantier fini, quand la femme et l'enfant se sont installés.

Godelieve Demoort connaissait mieux le français que son mari. Et si son accent rocailleux écorchait les mots, la conversation s'avérait néanmoins possible. Le soir de son arrivée, Astrid m'a accueilli avec un enthousiasme inhabituel

Elle avait, à cette époque, la trentaine épanouie. Son corps commençait à s'envelopper. Les batiks colorés dont elle se parait faisaient chanter sa peau noire. Un arc-en-ciel dans la grisaille atone du paysage.

« *Tu sais quoi? m'a-t-elle annoncé, du plus loin qu'elle m'a aperçu. Les Flamands, ils ont un enfant. Mais pas un enfant normal : un pauvre petit débile. Hugo, il s'appelle. Tu verrais comme il est mignon !* »

Après, elle m'a parlé de Godelieve. Elle ne se lassait pas de me la décrire. Une grande femme blonde et sèche, qui ne souriait jamais. Le lardon ne la quittait pas d'une semelle, sa petite serre griffue crochetée à la jupe maternelle. Bien qu'il soit constamment dans ses jambes, elle allait et venait sans se soucier de lui. À force, elle ne devait même plus se rendre compte de sa présence. Hugo suivait sans jamais protester, même lorsqu'elle le heurtait par inadvertance, ou trébuchait sur lui. Même quand elle se hâtait et que les minuscules guiboles devaient tricoter furieusement pour la suivre.

« *Moi, bêtifiait Astrid, j'aurais un gosse comme ça, je le dorloterais du matin au soir. Je m'assiérais par terre, en tailleur, le pagne tendu entre mes genoux, et je mettrais l'enfant là, dans ce berceau. Ou alors, je l'attacherais dans mon dos...* »

Astrid n'a jamais eu d'enfant. L'abus de quinine rend les colons stériles. Heureusement ! Je ne supporte pas les nouveau-nés, ces larves rosâtres. Leur seule évocation me fait grincer des dents...

D'ailleurs, malgré l'ardeur de mon amour, féconder ma négresse m'eût semblé une injure à la vie, une impardonnable faute de goût. J'ai trop connu de ces pitoyables produits d'Européens débauchés – et sans jugeote ! – pour admettre le mélange des races. L'accouplement procréateur est criminel quand il engendre des mulâtres, ces ni l'un ni l'autre...

« Un enfant débile, ça reste toujours un bébé, murmurait Astrid, les yeux dans le vague. Même grand. Même adulte. Je crois que ça me plairait... »

Je la laissais délirer. Ses divagations l'occupaient. Ce soir-là, nous avons baisé avec frénésie. Astrid était insatiable. « Encore ! réclamait-elle. Encore, encore ! » Elle voulait absorber du mâle à haute dose, se faire fleurir le ventre à tout prix. Doter coûte que coûte son utérus d'un petit mongolien café au lait.

Un orage avait éclaté. Rythmés par les roulements du tonnerre, nos reins ont ondulé jusque tard dans la nuit. Quand, baignés de sueur, nous nous sommes enfin abattus l'un sur l'autre, elle tremblait. Je suppose que c'était d'espoir.

Durant quinze jours, elle a bercé son rêve absurde que le sang, un matin, est venu démentir.

J'ai longtemps ressassé le souvenir de cette nuit. Jamais Astrid ne s'était donnée de la sorte. Jamais ma volupté n'avait atteint de tels sommets. Ce fut la première et la dernière fois. J'en ai toujours été reconnaissant au bâtard que nous n'avons pas eu.

26.

De nouveau cette ombre encapuchonnée. Une ombre de moine, énorme et furtive, glissant le long des vitres. Astrid tressaille, la pupille agrandie, et lâche son ouvrage.

« Tu l'as vu ? Tu l'as vu, Fidèle ? Il est encore là... Mais qu'est-ce qu'il me veut, à la fin ? »

Fidèle a réagi au quart de tour. Museau froncé, babines retroussées, il aboie à perdre haleine, les deux pattes posées sur le rebord de la fenêtre.

« Bon chien... », murmure Astrid en lui flattant la nuque.

L'ombre s'efface sans demander son reste, mais Fidèle continue de monter les crocs, une vibration rauque dans la gorge.

Un peu rassurée, Astrid se réinstalle, la tête de l'animal posée sur ses genoux. De l'ongle, elle lui agace le poil entre les oreilles.

« Si on m'avait dit qu'un jour j'aurais peur, dans cette maison..., marmonne-t-elle. Ces pièces, ces meubles, ce jardin, ce paysage, je les connais jusque dans leurs moindres détails. Je pourrais y vivre les yeux fermés. Même aveugle, je n'y serais pas dépaysée. J'ai eu quarante ans – quarante et un, l'hiver prochain ! – pour m'y habituer... »

Elle plonge son regard dans celui, fondant d'amour, du chien.

« Quarante ans... », répète-t-elle, comme pour se convaincre d'une aberration.

27.

La confiance d'Astrid me comble. Cette façon qu'elle a de se mettre, sans réticence et sans arrière-pensée, sous ma protection... Jamais je ne l'ai sentie aussi reconnaissante, même dans l'intimité du lit. Même dans l'ardeur du sexe. Même dans la jouissance.

Plein d'un trouble ébloui, je remercie mentalement l'intrus à la houppelande.

« ... Quarante ans de prison ! Et pour quel crime, Fidèle ? Avoir cru mère Marie-Léontine et suivi l'homme blanc... Est-ce que ça méritait une sanction pareille ? »

Je sursaute, brutalement bouté hors de ma béatitude. Mais... à quoi, grands dieux, fait-elle allusion ? Quelle prison ? Quelle sanction ?

De mon vivant, jamais Astrid ne s'est plainte. Elle paraissait, sinon heureuse – qui l'est réellement ? – du moins paisible. Que me chante-t-elle là, avec sa prison ?

« J'ai pleuré dans cette maison, poursuit-elle.

Je m'y suis ennuyée à mourir. J'ai tourné en rond comme une mouche dans un verre. Mais je n'ai jamais eu peur. En ville, ça oui, je me suis sentie menacée. Les gens me crachaient au visage. On me donnait des noms affreux : mori-caude, face-de-suie, mal-blanchie, bamboula. On s'éventait sur mon passage, pour signifier que je puais. On mimait une démarche et des mimiques simiesques... En comparaison de ces persécutions, ici, quel havre de paix ! Les canaris qu'on met en cage sont hors de portée de la griffe des chats, n'est-ce pas ! »

Cette « cage », moi, j'y pensais toute la journée. Dans le fracas des camions, des bétonnières et des marteaux piqueurs, je n'aspirais qu'à ça : rejoindre ma petite reine noire et son royaume d'encaustique, de soupe, de linge propre. La prendre dans mes bras, manger les mets qu'elle m'avait préparés. M'asseoir avec elle à notre table, ou dans ce salon où chaque objet portait son empreinte. Parcourir main dans la main les allées du jardin ou le Chemin Sous-Bois, pour jouir d'une nature qui n'appartienne qu'à nous. C'était ma récompense après le travail, ce qui justifiait mes efforts ! Grands dieux, en accourant vers elle chaque soir, je ne visitais pas une prisonnière, je retrouvais ma raison d'être !

« Après, Jean a pris sa retraite... », ajoute son-geusement Astrid.

Rasséréné, j'abandonne mon museau à ses

doigts. Ces huit années d'osmose me reviennent, comme une bouffée de parfum rare. À deux, plus d'ennui, plus de solitude! Plus de prison! Je pousse un couinement d'impatience : des lèvres sombres usées par mes baisers vont enfin tomber les mots que j'attends, l'évocation émue de nos douces heures communes!

« ... et ça a été encore pire! »

J'arrête de couiner, un bloc de glace dans le cœur.

28.

« Qu'est-ce qui me prend, de raconter ma vie à un chien? » ronchonne Astrid, en reprenant son ouvrage.

L'aiguille glisse de maille en maille, consolidant l'usure d'un fin treillis de fil blanc. Une œuvre de dentellière, d'araignée. Le labeur minutieux et humble d'une fée du logis.

« Aïe! »

La tête de Fidèle a malencontreusement heurté l'index d'Astrid, y faisant pénétrer profondément l'aiguille.

« Ah, c'est malin! rouspète-t-elle, en portant son doigt meurtri à sa bouche. Pousse-toi, maladroit! Et ne me bouscule pas pendant que je travaille! »

L'animal s'éloigne. D'un œil où le repentir le dispute à une secrète jubilation, il fixe le torchon que macule une tache de sang.

29.

Quand j'ai ramené Astrid en Belgique, quel scandale ! En ce temps-là, les unions mixtes soulevaient l'indignation de tous les bien-pensants. C'était un acte contre nature, une sorte de vice honteux. Une véritable insulte à mes compatriotes. Obnubilé par la passion, je n'avais pas mesuré toute l'ampleur du sacrilège.

Ma famille au grand complet m'attendait sur le débarcadère du port d'Anvers. Depuis le bastingage, je l'ai désignée à Astrid. La négrillonne était si excitée qu'elle battait des mains en trépignant sur le pont du bateau. Je l'avais, pour la circonstance, déguisée en européenne : robe blanche, petit chapeau, gants, chaussures à talons. Ça lui allait affreusement mal, mais elle était ravie. Durant des heures, elle avait paradé devant la glace de la cabine, en faisant tournoyer sa jupe.

J'ai su, par après, que plus personne ne s'habillait ainsi, chez nous. Les magasins de vêtements de Léopoldville avaient dix ans de retard sur la mode. Astrid était aussi touchante et ridicule qu'un petit chien de cirque.

Quand j'ai traversé la passerelle à son bras, j'ai lu l'ébahissement sur le visage de mes parents. Mon frère a froncé les sourcils. Ma sœur a mis les doigts devant sa bouche, comme pour tousser.

Nous nous sommes embrassés, puis j'ai doucement poussé Astrid vers eux. Elle souriait de toutes ses dents. Et ce croissant de lune plein de bonne volonté dans sa frimousse d'ébène, je n'ai jamais rien vu de plus poignant.

« Ta domestique? a demandé mon père.

– Non, ma compagne. »

Tout le monde a pâli. Il y a eu un hoquet derrière les doigts de ma sœur. Aucune main ne s'est tendue en direction de la paume d'Astrid, rose et vulnérable, largement offerte.

Elle n'a rien osé dire. On ne le lui demandait pas. Tout ce qu'on attendait d'elle, c'était qu'elle s'efface. D'instinct, elle l'a compris. Je l'ai vue rétrécir, dans ses falbalas blancs.

« Elle est... en visite? a espéré ma mère d'une voix étranglée. Je suppose qu'elle va rentrer chez elle...

– Tu ne comptes quand même pas la garder avec toi? s'est inquiétée ma sœur.

– SI ! »

C'était sans appel, ils l'ont tous compris.

« Tu ne l'as pas... épousée? » s'est horrifié mon frère.

J'ai fait non de la tête, et ajouté que je n'en avais nulle intention, étant adepte de l'amour libre.

Une onde de soulagement est passée parmi eux, et papa a murmuré, assez fort pour que je l'entende : « Allons... C'est un moindre mal ! »

Pas une fois, pas une, un regard, même consterné, ne s'est posé sur ma négrillonne. On l'ignorait, on lui refusait toute existence. Un ouistiti ramené dans mes bagages eût suscité un certain intérêt, quelques questions polies, des commentaires amusés. Astrid n'avait droit qu'au néant.

Je n'ai revu mes frère et sœur qu'à mon enterrement. Mais Astrid n'y assistait pas. Elle n'avait aucun moyen de locomotion pour se rendre au cimetière, distant d'une quarantaine de kilomètres. D'ailleurs, une lettre lui avait précisé qu'elle n'était pas conviée à la cérémonie, ne jouissant – bien qu'étant mon unique légataire – d'aucun droit moral en ce qui me concernait. Ma dépouille fut rendue aux miens, et inhumée dans le caveau familial.

Mes parents m'y attendaient déjà, en compagnie de tous mes ancêtres, pour une réconciliation posthume. Je leur ai faussé compagnie.

En fin d'après-midi, comme souvent à cette saison dans nos provinces, le vent se lève. Une véritable tempête. Des rafales empoignent les arbres à bras-le-corps. La forêt tangue, échevelée. Les cimes des sapins se courbent et se redressent avec des simagrées de laquais obséquieux. L'ouragan, en passant sous les portes, mugit comme un taureau de combat.

« Il fait un temps à ne pas mettre un chien dehors ! constate Astrid, en me dédiant un sourire ironique. Tu as trouvé la bonne planque juste à temps, sac à puces ! »

Elle tire sa chaise devant la fenêtre, pour mieux suivre le déchaînement des éléments. Je la soupçonne d'aimer ces excès climatiques. N'est-elle pas native d'un continent de cyclones, de typhons, de tornades ? D'une terre qu'assaillent des pluies torrentielles, quand l'haleine du soleil ne la calcine pas ?

« C'est par un jour pareil que Godelieve est partie », dit-elle.

Exact ! Ce soir-là, Astrid n'en menait pas large, à la fois chagrine et surexcitée. Malgré le mauvais temps, elle a couru sur la route au-devant de moi, pour m'annoncer plus vite la nouvelle. Et dix fois au moins elle me l'a serinée, son histoire !

Néanmoins, je l'écoute une onzième fois, revivant béatement mon passé par sa bouche.

« Je l'ai vue arriver par le Chemin Sous-Bois, poursuit-elle. Sanglée dans son anorak, le chignon défait, ses grandes mèches blondes lui barrant le visage. Le vent était tel qu'elle devait lutter pour avancer, comme si des mains invisibles essayaient de la retenir. Des bourrasques la giflaient, lui coupant la respiration. Mais elle s'obstinait. Elle portait un sac de voyage. Et –

chose inconcevable! – Hugo ne se cramponnait
pas à ses jupes.

« C'était si bizarre que je me suis précipitée
vers elle, pour la secourir de je ne savais trop
quoi. Je lui ai proposé d'entrer. Elle a refusé,
tout d'abord. Elle ne disait rien mais secouait la
tête. La tourmente hurlait à nos oreilles. Puis un
éclair a fendu le ciel, et ça a craqué, non loin.
Alors, elle s'est laissé entraîner. Mais elle n'a pas
voulu s'asseoir, ni déposer son sac. Et nous
sommes restées debout dans l'entrée en atten-
dant que l'orage se calme.

« Je lui ai demandé où était le petit, et elle m'a
répondu : " Avec son père. " J'ai tiqué : Willem
ne s'en occupait pas beaucoup. Les hommes et
les enfants, ça ne va pas bien ensemble, surtout
les bébés attardés. À cette époque, Hugo devait
avoir huit ans, peut-être neuf. Il avait bien forci
depuis leur arrivée, beaucoup poussé. Mais il
n'avait pas changé d'attitude. Dans son cerveau,
le temps s'était bloqué. Il s'accrochait toujours à
la robe de sa mère. Simplement, au lieu de serrer
l'ourlet, il tenait la ceinture.

« Puis, tout de go, elle m'a annoncé qu'elle
s'en allait, qu'elle retournait en Flandres. Elle ne
voulait plus vivre ici. Les rigueurs de cette région
la minaient. La solitude aussi. Et ce gamin. Ce
gamin : sa croix, son calvaire. Elle avait atteint
l'extrême limite de ses forces, celle où l'on n'a
plus qu'une alternative : la folie ou le suicide.

Or, ç'aurait été du gâchis. Elle était encore jeune, encore vigoureuse, et suffisamment belle pour tout reprendre de zéro.

« L'enterrée vive s'arrachait à sa gangue de boue. Je n'ai pas pu m'empêcher de lui donner raison.

« Elle n'a pas eu un mot de regret pour son mari et son enfant. Je pense qu'elle devait les haïr.

« Les coups de tonnerre ébranlaient la maison. C'était assourdissant. Les déflagrations se répercutaient jusqu'au bout de l'horizon. La foudre est tombée quelque part dans les bois. Plusieurs arbres ont été abattus, vers les Hauts Plateaux. Le chemin du Harbouillah * a même été coupé, je l'ai su plus tard. Heureusement, avec l'humidité, aucun incendie ne s'est déclaré.

« Quand l'orage s'est arrêté, Godelieve est partie. Je l'ai regardée s'éloigner sur la route, de plus en plus petite. Elle ne s'est pas retournée une seule fois. Elle aura pris le car au carrefour du Fagnou, à deux kilomètres. Je ne l'ai jamais revue. »

De ce récit que je connais par cœur, je n'ai retenu qu'une phrase. Une petite phrase de rien du tout. « *Je n'ai pas pu m'empêcher de lui donner raison.* » Et cette expression : « *enterrée vive.* » Un frisson me parcourt l'échine, hérissant une crête de poils le long de mon dos.

---

* Le chemin de l'Homme qui souffre.

« Je vais hausser le chauffage, dit Astrid. Il fait froid. »

30.

« Ce Willem, dit pensivement Astrid, c'était tout de même un drôle de type ! »

Elle s'est préparé une fricassée à la mode liégeoise – des œufs brouillés avec de la saucisse –, et dîne sur le pouce, à la cuisine. Depuis la mort de Jean, la salle à manger a cessé de servir.

Fidèle ne quitte pas la fourchette des yeux. L'odeur du porc frit fait palpiter sa truffe. Il halète, la gueule grande ouverte, une bave de convoitise luisant aux commissures de ses babines dentelées.

Tout en mâchant, Astrid grimace : un bout de cartilage vient de crisser sous sa dent. Elle s'apprête à le cracher sur le bord de son assiette, mais se ravise et le jette au chien. Il l'attrape au vol, l'avale, en réclame aussitôt un autre.

« Glouton ! rit Astrid, en renouvelant la manœuvre. C'est qu'il m'enlèverait le pain de la bouche, cet animal ! »

31.

« Willem, ouais..., reprend Astrid, poursuivant le cours de ses pensées. Celui-là, on peut dire qu'il m'en a fait voir de toutes les couleurs ! »

Perdu dans mes joies gustatives – est-ce la saveur de la fricassée qui me transporte, ou celle de sa salive ? Les deux sans doute, délices complémentaires sollicitant, à divers titres, la sensualité de mes deux moi-même ! –, je mets un instant à saisir ce dont elle parle. Quand j'y parviens, mes oreilles se dressent toutes droites.

Willem ? Willem lui en a fait voir ? Première nouvelle !

« Une femme ne lui suffisait pas, il lui en fallait une deuxième ! Il voulait tâter de la négresse ! »

Elle a un petit sourire plein de sous-entendus.

« ... De la négresse... Sacré cochon ! Godelieve a eu raison de le quitter ! »

Elle rompt une tranche de pain bis, sauce les traces d'œufs au fond de l'assiette. Mange un morceau, me donne le reste.

« Si Jean avait su ça, sûr, il lui cassait la gueule ! Mais pourquoi le lui aurais-je dit, hein ? Pourquoi ? »

Elle fronce comiquement le nez pour se pencher vers moi et me prendre à témoin. Comme à douze ans, exactement. Et, comme alors, je ne peux me retenir d'y porter la langue. Elle me repousse, indignée.

« Veux-tu bien, sale bête ! Je déteste qu'on me lèche la figure ! » Puis, riant de ma mine contrite, elle reprend : « C'était peu de temps après leur arrivée. Au printemps, je m'en souviens parfaitement. Les hommes sont comme les animaux : la montée de la sève les travaille. Dès fin mars, ça les démange dans le caleçon. Je semais des reines-marguerites le long de la haie quand il est passé, un matin, au volant de sa jeep. Il tirait sa remorque, avec la tronçonneuse dedans. »

Willem gagnait sa vie en vendant du bois à brûler. Il possédait quelques hectares de forêt et débitait ses arbres pour la bûche. C'était rentable : les gens ont beaucoup de cheminées, dans la région, et le sens d'un certain confort traditionnel. Le mazout et l'électricité n'ont pas détrôné ce qu'on appelle ici « le feu ouvert ».

« Je lui ai fait signe et il s'est arrêté, continue rêveusement Astrid. Il est même sorti de sa voiture. Moi, ça m'a étonnée : ce n'était pas dans ses habitudes. À peine bonjour-bonsoir en se croisant, histoire de montrer qu'on était en bons termes, mais jamais la moindre conversation.

« Je l'ai invité à boire un coup. Je ne pouvais pas deviner ce qu'il avait derrière la tête.

« Comme toujours, il n'a pas dit grand-chose.

Je l'ai fait entrer dans la cuisine, j'ai débouché une bière. Il a bu à même le goulot, en me regardant drôlement. Puis, d'un seul coup, ses mains dures m'ont saisi les poignets, et il m'a attirée contre sa poitrine.

« J'étais un peu flattée, c'était le deuxième Blanc qui avait envie de moi. Mais j'ai quand même résisté, à cause de Jean. Mère Marie-Léontine le répétait tout le temps : avoir plusieurs maris est un péché mortel.

« Willem s'est mis à chuchoter, très vite, très bas, des choses que je ne comprenais pas. "Knappe liefde... ik wil je... kuss mij... kuss mij...*" et toute une litanie du même genre.

« J'ai fait : "Non, non" en essayant de me débattre. Seulement, il était trop fort. Pas grand mais trapu et nerveux, avec des muscles qui saillaient sous son polo de coton. Il sentait la sueur et la bière. Il m'a renversée sur la table de la cuisine et s'est laissé tomber de tout son poids sur moi. Ça m'a coupé le souffle, alors je l'ai griffé. En pleine figure, quatre traces parallèles, comme le coup de patte d'un fauve.

« Il m'a lâchée pour porter les doigts à sa joue. Elle était toute poisseuse de sang.

« Je me suis ruée sur la porte, je l'ai ouverte, et je me suis mise à hurler. Il est devenu tout pâle et m'a rejointe d'un bond. Puis il m'a bâil-

* Mignonne petite chérie... Je te veux... Embrasse-moi... Embrasse-moi.

lonnée avec ses doigts pleins de sang, en suppliant : " Neen ! Neen ! " Je l'ai mordu. " Pardon... il disait. Pardon... J'ai perdu la tête, je ne le ferai plus ! " On aurait cru un gosse sur le point de pleurer.

« Puisqu'il s'excusait, je voulais bien passer l'éponge. Mais j'ai promis de le dire à Jean, si jamais il recommençait. À Jean et à Godelieve. Il a fait : " Ja, ja ", et il a filé sans demander son reste. C'est après son départ que j'ai remarqué ma tenue débraillée. En luttant, ma blouse s'était ouverte. Mes seins sortaient dehors, avec les bouts dressés comme des pointes d'asperges. Lorsque je les ai effleurés, une décharge électrique m'a transpercé le corps. Jamais je n'avais éprouvé ça.

« J'ai écouté décroître le bruit du moteur dans le lointain. Quand le silence est revenu, j'avais joui.

« Je me demande comment il les a expliquées à sa femme, Willem, les marques de mes ongles. Peut-être qu'elle a soupçonné quelque chose, peut-être pas. En tout cas, je ne l'ai plus revu pendant un bon moment. Pour se rendre à ses coupes, il s'est mis à prendre l'autre chemin, celui qui contourne la ravine des Makralles *. C'est plus long, mais au moins, ça ne passe pas devant chez moi. »

Astrid se tait, un petit sourire persistant sur le

---

* La ravine des Sorcières.

visage. Ce souvenir a l'air de lui plaire. Je tremble si fort que mes pattes ne me portent plus.

Elle me caresse, sans se douter que j'ai la morsure au bord des dents. Hypocritement, je lui lèche la main. Mais ma langue doit être froide : mes veines charrient de la neige fondue.

32.

L'horloge du salon sonne neuf coups.

« Au dodo ! » bâille Astrid.

Cette fois, lorsque Fidèle se faufile dans sa chambre, elle ne proteste pas. Ils ont déjà leurs habitudes...

33.

« Hooooouuuuuu ! Hooooouuuuuu ! »

Un hurlement me tire de mon sommeil. Je rêvais que j'égorgeais Willem. Mes crocs plantés dans sa jugulaire, il produisait des gargouillis immondes, et au coin de ses lèvres, une écume rouge moussait.

J'ai encore la fadeur de sa souffrance dans les papilles.

Hélas, ma haine est sans objet. Willem n'est plus. Il m'a précédé de plusieurs années dans la mort.

« Hoooouuuuuu ! Hooooouuuuuu ! »

Je m'ébroue et, sans bruit, je me coule jusqu'à la fenêtre, sur le rebord de laquelle je pose mes pattes. Du museau, je soulève le rideau.

La nuit est claire. Une nuit de pleine lune. La clarté blafarde tombant des étoiles permet de distinguer jusqu'au moindre brin d'herbe. Le Chemin Sous-Bois, bien visible aux abords de la clôture, s'assombrit à mesure qu'il pénètre sous le couvert. La masse obscure de la forêt semble un gouffre dont les crénelures mouvantes déchiquettent le ciel.

« Hooooouuuuuuu ! Hooooouuuuuuu ! »

Invisible derrière l'écran de sapins, Meisje hurle à pleine gorge.

Dans son lit, Astrid s'agite. J'entends grincer les ressorts du matelas. Puis la lampe de chevet s'allume.

« Fidèle... »

À l'appel de mon nom, je m'empresse. Malgré sa chemise en pilou et sa couette, elle grelotte.

« Tu l'entends, cette chienne de malheur ? »

Si je l'entends ? Il faudrait être sourd !

« La nuit où Jean est mort, elle a hurlé comme ça jusqu'au matin. »

Astrid claque des dents. Ces cris nés des entrailles de l'ombre semblent la bouleverser. À cause du souvenir, sans doute.

Mais après tout, ce n'est qu'une bête qui pleure dans le noir...

« Viens près de moi, Fidèle. »

Elle m'entoure le cou de ses bras, m'attire contre elle. Fourre son visage dans ma fourrure. Ma truffe se plaque à ses mamelles. Et nous restons là, immobiles, elle se remettant peu à peu, moi humant sa chair à m'en chavirer l'âme.

Dehors, la longue plainte nocturne s'achève en hululement.

Quand j'ai pris Astrid, sous la moustiquaire, ses seins avaient la même odeur qu'aujourd'hui. La même exactement. Le temps n'altère pas l'arôme des êtres. Au plus l'accentue-t-il. Le gri-gri luisait, posé sur le téton. Une plaie à tête de buffle.

Par-delà la mort... L'amulette qui vibrait, soulevée par la respiration saccadée de la fillette, m'hypnotisait. Le bois, saturé de sang, dégorgeait. Un mince filet pourpre s'en échappait, mêlé de sueur. Tel un ruisseau descendant d'une montagne, il glissait le long de la poitrine élastique, suivait la vallée séparant les côtes, s'accumulait dans le nombril comme en un mignon réservoir, et débordait vers le pubis. Quand il a atteint mon pénis, mes reins ont perdu leur cadence.

Étonnée, Astrid a ouvert les yeux.

« *Tu ne m'aimes plus, Kitoko ?* »

Je lui ai expliqué que c'était l'émotion. Les hommes ont des faiblesses quand leur cœur est en jeu. Elle a souri, flattée. Son entrejambe avait la même couleur que le gri-gri.

Depuis ma visite au sorcier, remords et doutes me taraudaient. Qu'est-ce qui m'avait pris de me fourvoyer dans ces sortilèges primitifs, ces diableries de sauvages ? J'avais voulu cette gamine ? Eh bien, je l'avais. Il m'avait suffi de la cueillir au bon moment... Rien de surnaturel là-dedans ! En accordant foi aux pouvoirs de l'homme-tonnerre, en accréditant ses pratiques abjectes, j'avais fait montre d'une inconcevable niaiserie. Et en glissant dans la menotte d'Astrid l'ignoble bijou, encore plus...

Au moins, par souci d'exorcisme, aurais-je dû attendre qu'elle l'égare, ce bijou, avant d'user d'elle... Et même, afin de couper court à toute équivoque, eût-il mieux valu la faire dépuceler par une matrone, comme cela se pratique parfois dans les villages !

Notre amour ne pourrait perdurer que par le sang, avait dit Nboula. Par le sang et par LES *sangs...*

J'ai arraché l'amulette avec horreur, et je l'ai jetée par terre. Mais trop tard : la jonction des plaies s'était faite. Désormais, nous étions liés à jamais, Astrid et moi. J'en avais, malgré mes sursauts de scepticisme, la certitude profonde. Mon

crime et la possession de cette enfant rebelle pro-
cédaient du même geste : celui de l'arme que l'on
plante. En transperçant sa vulve de mon sexe
érigé, je n'avais fait que proroger la macabre liturgie de Nboula.

L'homme-tonnerre habitait en pleine brousse,
dans le nord-est du pays, vers l'Uélé. On venait le
consulter de loin, il était réputé pour ses pouvoirs.
Mon boy, Toukoutouk, le « garçon né sur le
fleuve », m'avait parlé de lui comme d'un « bon
sorcier, très habile pour faire aimer les femmes ».
    Je suis arrivé chez lui au coucher du soleil,
dans cet instant, si bref en Afrique, où l'horizon
est rouge. Le ciel semblait une mare de sang. Je
n'ai pas su y voir un signe.
    Quand je suis descendu de mon pick-up,
Nboula méditait sur le seuil de sa case, à l'abri
d'un immense fromager. C'était un petit vieillard,
presque un Pygmée, qui vivait nu. Sa peau par-
cheminée était couverte de tatouages. Des scarifi-
cations traçaient sur sa poitrine des sillons parallèles, semblables à ceux qu'imprime le soc de la
charrue dans la terre de labour. Je lui ai longuement parlé. De moi, d'Astrid. D'Astrid surtout.
De son rire insolent, de ses faux-fuyants, de
l'incendie qu'elle avait allumé dans ma chair.
L'homme-tonnerre m'écoutait, les yeux fermés.
Après un long, très long silence, il a demandé :
« Tu la veux pour toujours ? »

J'ai presque crié : « Oui !

— Par-delà la mort ?

— Par-delà la mort. »

J'avais pris cela pour une formule, c'était une vérité.

« Ça va te coûter très cher, homme blanc !

— Peu importe, j'ai de quoi payer ! »

Nboula m'a dit de revenir à la nuit noire. Il avait allumé un feu devant sa case. À la lueur des braises, je l'ai vu, en prière, le visage recouvert d'un masque. Dans les arbres voisins, des singes vociféraient. Puis un vagissement a jailli des ténèbres.

L'homme-tonnerre m'a montré quelque chose dans un drap. Ce quelque chose bougeait. J'ai cru qu'il s'agissait d'un animal, un jeune chimpanzé captif, ou un babouin. Mais c'était un bébé.

Nboula semblait en transes. Son torse oscillait d'avant en arrière et il marmonnait des paroles dont je ne saisissais pas le sens. Je connaissais peu de dialectes, le swahili essentiellement, et quelques rudiments de bengala et de mina. Les mots qu'il prononçait m'étaient tous inconnus.

Le feu répandait des vapeurs hallucinogènes aux parfums âcres, qui me faisaient tourner la tête. Je suffoquais. Ma volonté coulait de moi comme une hémorragie. J'ai voulu poser des questions, mais ma langue m'a refusé tout service.

Le bébé pleurait de moins en moins fort. Il ne produisait plus qu'un petit cri tremblé. Un son

ténu que couvraient les rumeurs nocturnes. Bête-
ment, j'ai pensé qu'il allait s'endormir.

Quand l'incantation s'est arrêtée, je flottais dans
une sorte de semi-léthargie.

L'homme-tonnerre a posé le bébé devant moi.
C'était un nouveau-né de quelques heures à peine.
Un prématuré, probablement métis. Il était d'une
maigreur affreuse. Une larve aveugle et rosâtre.

« Par-delà la mort ? » a demandé Nboula.

J'ai acquiescé de la tête, subjugué, incapable de
formuler une seule parole. Alors l'homme-tonnerre a brandi un couteau, et l'a plongé dans le
flanc du nourrisson.

Le sang a giclé sur moi, mais je m'en suis à
peine rendu compte. J'étais vêtu de blanc, comme
tous les colons. Ce n'est que le lendemain, en
voyant mes habits souillés, que j'ai compris.

Au fond de la plaie béante qui dégorgeait
d'humeurs, on devinait des pulsions organiques,
des contorsions de viscère. Nboula y a introduit
un objet qu'il a ressorti écarlate, et me l'a tendu.
Halluciné, je l'ai pris.

« La jeune fille qui portera ceci ne pourra rien
te refuser, m'a-t-il dit. Et lorsque tu feras couler le
sang de son hymen, s'il se mêle à celui du Sacrifice, votre union sera éternelle. »

Puis il a jeté l'enfant dans le feu, et l'odeur de
viande roussie a couvert les fragrances d'encens.

Longtemps, le souvenir du bébé mort m'a
hanté, comme une monstrueuse faute. Puis le

temps a passé, et cette liturgie macabre s'est estompée dans ma mémoire. J'en suis venu à douter de sa véracité. N'avais-je pas été victime des drogues du sorcier, ces parfums capables d'annihiler toute volonté, de susciter fantasmagories et délires, et de mêler, dans un même prisme narcotique, songe et réalité?

À la longue, il ne m'en est resté qu'une contrariété diffuse, la réminiscence d'un cauchemar au réveil. Une fresque abstraite en rouge et noir imprimée sur un mur de ville, que chaque ondée délave un peu plus, jusqu'à la rendre indiscernable.

34.

Apaisée par la chaleur bienfaisante du chien, Astrid se rendort. Alors Fidèle se dégage tout doucement et regagne son poste d'observation, devant la fenêtre.

Par la fente du châssis gauchis, il hume l'air nocturne. Puis scrute les ténèbres avec une attention soutenue. En vain. La nuit a perdu sa magie. Meisje ne la hante plus.

Il guettera néanmoins jusqu'au matin.

35.

La voix de Meisje s'est tue, me livrant au silence. Un silence oppressant qui me cerne de toute part, à peine troublé par la respiration régulière d'Astrid et les rafales de vent souquant dans les ténèbres.

Je laisse retomber le rideau, et regagne ma carpette où je m'affale de tout mon long. Mais j'ai beau fermer les yeux, le sommeil me fuit. Mon corps est en fusion. Est-ce le rut qui me met dans cet état, ou ai-je, tout bonnement, des insomnies ?

Des insomnies – ô la plaisante chose ! –, comme avant...

C'est étrange à quel point ma vie a peu varié depuis cet « avant » – qui a, il faut bien le reconnaître, de furieux relents d'« aujourd'hui ». La mort semble n'avoir été qu'une parenthèse dans le flux calme de mes jours. Une escale entre deux navires. J'ai repris mon petit bonhomme de chemin, sous une autre forme certes, mais dans des conditions semblables, au côté du même être et dans le même cadre. Les pieds dans mes pantoufles, si cette expression peut convenir à un chien.

Rien n'a changé, dans la petite maison de

briques rouges. Mon absence, puis mon retour, n'ont pas troublé le cours du train-train journalier. Et je suis reconnaissant à Astrid de n'avoir modifié ni sa tenue vestimentaire, ni ses petites manies, ni ses rites culinaires, ni l'agencement des meubles et des bibelots. Bref, d'avoir préservé, pour le réincarné que je suis devenu, le confort d'une routine douillette dans laquelle je puisse me lover.

Seule amélioration – et elle est de taille ! – la perception constante et ô combien jubilatoire que j'ai de Meisje. Les grésillements que son fumet allument dans mes nerfs, et qui font de chaque instant une fête intime...

Même si cette fête me tient, pour l'heure, éveillé, haletant, l'humeur mauvaise et prêt à mordre...

36.

« Il est encore là, je le sens qui rôde... », dit Astrid, en prenant son café au lait.

Inutile de le préciser, elle parle de l'ombre en houppelande, dont la simple évocation cloque ses bras de chair de poule.

« J'ai voulu avertir les gendarmes, mais ils m'ont ri au nez. Les divagations d'une vieille femme de couleur, perdue au fin fond de la campagne, n'intéressent personne. D'ailleurs, ils manquent d'effectif. "Vous n'avez qu'à déménager, si vous avez peur ! " m'ont-ils dit. Déménager ! Pour aller où, grands dieux ? »

Elle émet un bruit de gorge, plus proche du grincement que du rire.

« Pour aller où ? En ville, où les gens me toisent comme un excrément ? En Afrique ? ... »

Elle s'abîme quelques instants dans ses pensées. En émerge, la bouche amère.

« Ah, si c'était à refaire, Fidèle ! Si c'était à refaire ! Le Blanc, plutôt que de le suivre, je lui enfoncerais un couteau dans le cœur ! »

37.

Un couinement involontaire m'échappe. J'aurais préféré qu'Astrid me batte à mort, qu'elle m'arrache la fourrure par poignées, qu'elle m'écorche vif plutôt que d'entendre cela !

« J'y croyais, moi, au pays des anges..., poursuit-elle sourdement. Les sœurs ne pouvaient pas mentir ! Mère Marie-Léontine était sincère, quand elle décrivait la Belgique comme une terre de félicité ! C'était *sa* vérité – on a chacun la nôtre, mais ça, je l'ignorais. Et je rêvais, je

rêvais... Moi, la petite négresse rôtie par le brasier africain, je me le représentais, ce lieu de
délices, comme le paradis des images pieuses. Un
Éden de chantilly vers lequel les damnés, du
fond de leur fournaise, tendaient, implorants,
leurs bras calcinés... Et puis Jean et venu, et m'a
voulue. Tout devenait possible. Le contremaître
blanc m'avait remarquée et se penchait sur moi.
Il me suffisait de saisir sa main – et de m'y agrip-
per ! – pour qu'il me hisse vers la chimère... »

Elle prend un petit air futé qui lui va bien.

« Cette manœuvre requérait beaucoup de
savoir-faire, Fidèle ! Céder au mâle est chose
aisée, mais le garder ! ! !

« Sommes-nous toutes des vicieuses, nous, les
" sauvagesses " ? Avons-nous toutes des accoin-
tances avec le diable ? Mère Marie-Léontine
l'affirmait. Elle parlait de notre aptitude au mal
comme d'un caractère ethnique, hérité de nos
ancêtres païens et cannibales. Cet atavisme,
qu'elle s'échinait à m'arracher de l'âme, je l'ai
cultivé, je m'en suis servie. En virtuose, il faut
bien l'admettre. J'ai ensorcelé Kitoko. Tant et si
bien que, quand l'heure de son terme est venue,
il ne pouvait plus se défaire de moi. Alors, il m'a
emmenée dans ses bagages... »

Elle soupire, me flatte vaguement le crâne.
Sous la caresse, je courbe l'échine.

« L'enfer, ce n'était pas le Congo, Fidèle,
c'était ici ! On m'a trompée de la pire manière, je

l'ai compris très vite. En posant le pied sur le quai, je l'ai compris. Toute ma vie s'érigeait sur un malentendu.

« Pendant cinquante ans, j'ai vécu près de Jean, docile, passive... et pleine de rancœur. Je ne lui pardonnais pas de m'avoir déracinée, d'avoir fait de moi une bannie. D'avoir abusé de mon innocence, lui qui *savait*. Lorsqu'il m'approchait, toute ma chair se révulsait. Quand il me prenait le ventre pour s'y assouvir, je griffais le drap, non de jouissance mais d'horreur. Si je donnais le change, c'est que je me savais liée à lui à jamais. Enchaînée à son destin par des milliers de kilomètres d'océan... On paye toujours le prix de ses actes, mère Marie-Léontine nous le répétait sans cesse. Elle appelait cela " la justice immanente ", l'épée de Dieu. Depuis cinquante ans, mon exil rachète les manigances de la négrillonne ambitieuse. Je purge ma peine. Je gagne mon pardon dans ces limbes de pluie, de vent et de brouillard. Et si ma pénitence m'ouvre les portes du ciel, tout ce que j'espère, c'est qu'il ait les couleurs ardentes de l'Afrique ! »

Sous la caresse, je baisse la tête. Ainsi, elle ne peut pas lire dans mes yeux, mes bons yeux de chien, les affres qui y flamboient. En quelques brefs instants, elle vient de saccager tout ce qui fut ma vie, me laissant à feu et à sang.

Lentement, je me dirige vers la porte, gratte le chambranle. Elle m'ouvre, je pars en trombe. Elle m'observe en souriant.

« Bonne promenade », dit-elle.

Des heures de course éperdue à travers bois n'apaiseront pas ma souffrance. Mais quand je rentrerai, plusieurs heures plus tard, les coussinets meurtris par les aiguilles de sapins, le pelage gluant de sueur, les flancs lacérés par les branchages, je serai, du moins, vidé de ma rage. Et redevenu inoffensif.

38.

« Le drame, quand la Flamande est partie, c'était Hugo, évidemment ! » soupire Astrid, tandis que, roulé en boule sur la moquette, Fidèle se lèche les pattes avec ostentation.

C'est le début de l'après-midi, mais on se croirait au crépuscule. Un demi-jour maussade baigne le paysage. Le firmament charrie des tourbillons de nuages dont les volutes anthracite, ourlées de lisérés clairs, roulent tumultueusement d'un horizon à l'autre. Fendant la brouillasse d'un vol lourd, des bandes de corbeaux passent en croassant.

Partout ailleurs, l'automne se harnache de fulgurances. Les forêts flambent avant le décharnement. Toutes les nuances de roux, de pourpre et d'or rutilent dans le feuillage ; la nature agonise en reine. Mais pas ici. Nos noirs résineux ardennais ne se parent ni ne se dévêtent. Ils conservent, été comme hiver, leur imputrescible et austère défroque, bravant le cours des saisons avec une pruderie de nonnes.

« Tu comprends, Willem était un adulte. Il pouvait réagir en adulte : relativiser, prendre du recul. Les hommes se débrouillent toujours avec leurs peines. Ils se consolent à leur manière, en cherchant ailleurs ce qui leur manque. Mais le gamin... Ça m'a obsédée, toute la nuit qui a suivi le départ de Godelieve. Je l'avais toujours perçu comme une sorte de fœtus, de parasite n'existant que par la robe qu'il agrippait, et dont il captait la substance. Amputé de sa mère, Hugo allait-il réussir à survivre ?

« L'insomnie aidant, je m'imaginais reprenant le rôle. Offrant à sa menotte la couture de mes jupes. Le laissant m'escorter et se nourrir de moi. Lui fredonnant, avant qu'il dorme, la berceuse Hutu que me chantait ma mère :

> Mwana wanjije ihii
> Ninde ukuvuze ihii
> Ninde ukurijije ihii... *

« J'éprouvais, à divaguer de la sorte, un ravissement plein d'effroi qui m'a tenue éveillée jusqu'au matin.

* Voir notes p. 27.

« Durant le petit déjeuner, j'ai eu un mal fou à maîtriser mon impatience. Et Jean à peine parti, je me suis ruée vers le chalet. J'ai toqué ; pas de réponse. J'ai appelé ; rien. Alors j'ai tourné la poignée. La porte n'était pas fermée, je suis entrée.

« C'était la première fois que je pénétrais chez le Flamand, et malgré moi, j'avais le cœur battant. L'impression de commettre une sorte de délit. On ne m'avait pas invitée, après tout. J'étais là en intruse !

« La salle sentait le propre. Dans la pénombre des rideaux tirés, les meubles cirés luisaient faiblement. Une horloge ronflait sur la cheminée, à côté d'un pot de sansevière, ces hideuses plantes grasses en forme de torchères, dont le Belge moyen fait grand usage. Aucun laisser-aller ne troublait l'ordre rigoureux de la pièce. Qui aurait pu deviner, au vu de ce décor désincarné, qu'un drame s'y était déroulé la veille ?

« Très impressionnée, j'ai osé un : " Hou hou, y a quelqu'un ? " qui a résonné étrangement dans le silence. N'obtenant pas de réponse, je suis allée dans la cuisine.

« De l'enfant, nulle trace. Mais Willem était là, effondré sur la table à côté d'un verre renversé. Un instant, j'ai cru qu'il était mort. Mais non, il dormait, la joue à même la toile cirée, baignant dans une mare de bière. Les traits bouffis comme s'il avait pleuré.

« Tandis que je m'approchais, il s'est éveillé et m'a aperçue. D'un geste gêné, il a essuyé son visage avec sa manche.

« J'ai dit : " Je suis venue voir si je pouvais faire quelque chose... " Il a plissé les paupières avec l'air de ne pas comprendre. À la verticale, son visage était encore plus pathétique. Le teint terreux, des valoches, une haleine de malade. Un menton bleui par la repousse. Des marbrures rouges sur la joue qui lui avait servi d'appui.

« Prise de compassion, j'ai posé la main sur son épaule : " Ça va aller, Willem ? "

« Il a fait : " Ja... Ja... " et s'est mis à pleurer. C'est terrible, des larmes d'homme. J'ai pris sa tête contre moi pour ne plus les voir.

« Des moineaux sont venus picorer sur le rebord de la fenêtre, où Godelieve leur émiettait chaque jour du pain.

« J'ai caressé les cheveux de Willem, pour le consoler. Petit à petit, ses hoquets se sont espacés. On est montés dans sa chambre sans rien dire.

« Le lit n'était pas défait. On s'est allongés sur la courtepointe. Nous avons fait l'amour très vite, et en silence. Je ne me suis même pas déshabillée. Il a juste soulevé mon pull-over pour toucher mes mamelons, puis retroussé ma jupe et baissé mes collants.

« Je n'ai ouvert les yeux qu'une fois que c'était fini. Alors, j'ai vu la porte ouverte. Dans l'entrebâillement, il y avait Hugo, debout, en pyjama. Avec sa face d'embryon, la mâchoire inférieure toujours un peu pendante.

« Son regard m'a transie : deux lézardes vénéneuses fendant la chair blême. Au cri que j'ai poussé, il a disparu.

« Willem ronflait, masse inerte affalée sur moi. Je l'ai doucement repoussé, puis je me suis levée et rajustée. En sortant de la chambre, j'ai cherché l'enfant. J'appelais tout bas : " Hugo ! Hugo ! " Je voulais lui parler, m'expliquer. Lui proposer de remplacer sa mère. Mais il n'était plus dans le chalet. J'ai fouillé le jardin, je ne l'y ai pas trouvé non plus. Peut-être s'était-il sauvé dans la forêt.

« Alors, je suis rentrée à la maison.

« Nous n'avons jamais recommencé, le Flamand et moi. La vie a repris comme avant. Il a continué à tracter son bois, en faisant le tour par la ravine des Makralles. Quand on se croisait par hasard dans le Chemin Sous-Bois, c'était bonjour-bonsoir, sans un mot de plus. Peu après, il a acheté une chienne à Hugo.

« Je les apercevais parfois, l'enfant et la bête, courant dans les fourrés. Lui, cramponné à sa fourrure, elle, réglant son pas sur le sien, veillant à ne pas le bousculer. Ils s'enfuyaient en me voyant. »

Elle regarde Fidèle et lui sourit, avec une sorte de complicité un peu honteuse.

« Maintenant, moi aussi, j'ai un chien... Un

chien ! Si on m'avait dit ça il y a seulement huit jours, j'aurais crié au fou ! Note bien, je reconnais que c'est utile : ça comble les vides... Hé, Fidèle, tu m'écoutes ? »

Non, Fidèle n'écoute pas, il grelotte. Aussitôt, elle s'inquiète. « Qu'as-tu, mon gros, tu es malade ? Tu as pris froid ? Viens là que je sente si tu as de la fièvre... »

Mais la truffe qu'elle empaume est de glace.

« C'est la fatigue, conclut-elle. Tu t'es trop dépensé. Repose-toi, ça ira mieux après. »

Elle se lève et s'éloigne en traînant les pieds, pour réapparaître, l'instant d'après, portant la manne à linge, la planche et le fer à repasser.

« À force de m'occuper de toi, j'en oublie mon travail ! » ronchonne-t-elle.

39.

J'ai toujours aimé l'odeur du métal chaud glissant sur le tissu moite. Rien n'est plus rassurant pour les maris, les enfants et les bêtes. Repassage, cire fraîche, soupe qui cuit... Il y a toute l'alchimie du bonheur dans les effluves domestiques nés du labeur des femmes.

Mais, si réjouissant soit-il, cet arôme se double aujourd'hui d'insoutenables images. En évoquant les deux ventres – le blanc et le noir – imbriqués, les deux corps – le noir, le blanc – suants, harassés de désir, souquant à la va-vite sur le couvre-lit de satinette à volants, je bave. De rage, de haine, d'envie de mordre. Oh, la chair qu'on entame, qui se rompt par lambeaux! La jugulaire qui palpite sous le croc et crève, répandant son suc!

Je salive. De rage, de haine, d'envie de dépecer. L'écume qui mousse à mes babines laisse des marques humides sur la moquette.

40.

« Tu crois qu'Hugo a compris, quand il m'a vue au lit avec son père? » demande pensivement Astrid, tandis que la pointe du fer mord les coins d'une nappe à carreaux.

Elle plie le rectangle de tissu, le pose sur la pile. Prend une serviette de toilette dans la manne, la défroisse soigneusement, l'humecte.

« Un gosse ne soupçonne même pas ces choses-là. À plus forte raison s'il est débile. Il a dû croire qu'on chahutait... Nous, au Congo, on vivait tous dans une seule pièce, moi, mes parents, mes frères et sœurs. Parfois, la nuit, mon père grimpait sur ma mère. Je les entendais haleter dans le noir. Rire aussi. Leur jeu semblait si drôle que j'avais envie d'y participer... »

Un friselis de sourire passe sur son visage, laissant entrevoir, l'espace d'un instant, l'éclair laiteux des dents entre les lèvres sombres.

« Il est vrai que moi, je n'étais pas retardée. Au contraire ! »

Évoquer ses peccadilles d'enfant lui arrache un soupir attendri. En a-t-elle collectionné, des péchés véniels, cette polissonne ! En a-t-elle donné, du fil à retordre, à ses confesseurs, ces malheureux Pères Blancs qui tenaient la Mission, et s'horrifiaient avec candeur de « la duplicité naturelle des indigènes » !

La serviette prend, à son tour, place au sommet de la pile, suivie du gant de toilette assorti.

« Évidemment, reprend Astrid, songeuse, si j'avais vu papa monter une étrangère, j'aurais sans doute trouvé le jeu moins sympathique... »

Posant son fer, elle s'accroupit auprès du chien.

« Est-ce qu'Hugo m'en a voulu, d'après toi ? Ou a-t-il eu envie de jouer avec nous... »

Comme Fidèle ne bronche pas, elle avance la main pour le caresser. Mais le geste ébauché s'interrompt de lui-même lorsque Astrid aperçoit l'auréole humide sur le sol.

« Mais... c'est tout mouillé autour de ta gueule ! s'indigne-t-elle. Tu as bavé, espèce de porc ! Ah bravo ! Ça m'apprendra à te faire

confiance! Veux-tu bien me foutre le camp d'ici!
File dans la cuisine, et plus vite que ça! »

41.

Comme j'obéis sans empressement, Astrid
pousse un cri étouffé, et comprime sa bouche à
deux mains, les yeux rivés à la fenêtre.

D'une détente, je bondis sur mes pattes en
grondant.

Cette fois, l'ombre ne s'esquive pas tout de
suite, mais reste collée un moment contre la
vitre. Dans la nuit tombante, c'est une vision de
cauchemar.

Une méduse, je ne trouve pas d'autre mot.
Une méduse encapuchonnée comme un moine.
Une face de noyé séjourné trop longtemps dans
l'eau...

Peau flasque, d'une lividité de cloque; lippe
molle béant sur une excavation où roule, mâchée
et remâchée sans cesse, une langue hyper-
trophiée; pas d'orbites, mais deux crevasses
oculaires dépourvues de cils, où rougeoie
l'enfer...

« Euh... Tu... tu veux quelque chose, Hugo? »
se reprend Astrid, assez fort pour que sa voix
traverse la vitre.

La méduse émet un son informe, sa tête aqueuse oscillant de gauche à droite. L'instant d'après, la colossale silhouette s'évanouit dans le crépuscule.

Les jambes coupées, Astrid se laisse choir sur une chaise.

« Il m'épouvante..., dit-elle. Je n'y peux rien, il m'épouvante. Tant que son père vivait, tant que Jean était là, il se tenait à distance. Je ne le sentais pas menaçant. Mais maintenant que nous sommes seuls, lui et moi... As-tu remarqué ses yeux, Fidèle ? Des yeux de loup... À force de vivre avec des louves, il a attrapé leur regard... »

Je l'écoute, assis devant elle, les oreilles toutes droites. Du sommet de mon crâne au bout de ma queue, une crête de poils hérisse ma fourrure.

« Je l'ai vu grandir, pourtant... Je l'aimais, enfant. Il ravivait mon instinct maternel. J'étais même prête à m'occuper de lui. Il ne devrait pas m'impressionner de la sorte... Mais c'est plus fort que moi ! Quand je le vois rôder autour de la maison, j'en ai la chair de poule ! »

Elle se lève, va au robinet, se sert un verre d'eau. Boit. Renverse la moitié, tant sa main tremble.

« Oh, je le sais bien, va, ce qu'il veut ! reprend-elle, en s'essuyant la bouche avec le torchon à vaisselle. Il me le fait comprendre assez clairement ! Tu as entendu comment il m'a appelée ? "Salope !" Dans le langage des hommes, on sait ce que ça signifie ! »

Le jardin s'est empli de ténèbres bleues. L'heure entre chien et loup, comme on dit par chez nous. Un grondement sourd roule dans ma gorge. En qui couve le plus de rage, dans le soir qui s'avance? Qui est le plus à craindre? Le chien ou le loup? Le chien possédé de jalousie posthume ou le loup qu'aiguillonne le désir?

Pour se donner une contenance, Astrid s'agite inutilement, vaque à de fausses occupations. Déplace un objet, en range un autre, revient au premier. Ouvre les armoires, les referme sans y avoir rien pris.

« Il fait comme son père..., continue-t-elle, pensive. Il apparaît quand on ne l'attend pas, à la manière des spectres. Juste pour signaler qu'il existe, et qu'il vous veut. Et qu'il vous aura, à la longue... Mais Willem était beau, moi jeune. Il m'enflammait, bien que je m'en défende. L'hiver, quand la nuit tombait tôt et qu'il m'arrivait de sortir, j'entendais quelquefois craquer la neige, derrière moi. Je ne sursautais pas, je savais que c'était lui. Et il savait que je savais. Mais je ne me retournais pas. Je rentrais dans ma cuisine, j'attendais un moment, le souffle court, puis je ressortais munie d'un balai. Et j'effaçais les traces de ses pas, qui raccordaient, comme un cordon ombilical, le seuil de ma maison au chalet. »

Elle rêvasse un moment, les yeux perdus dans le vague.

« Que de fois je les ai suivies en songe, ces traces ! Au bout, il m'attendait. C'était... »

Sa salive, qu'elle avale trop vite, fait un bruit incongru en passant dans sa gorge.

« ... stupide et exaltant. »

Avec un petit rire grelottant, elle esquisse le geste de chasser une mouche.

« C'est loin, tout ça. Des rêvasseries bon marché ! Des palpitations de midinette qui regarde trop la télé... Qu'est-ce qui me prend de te raconter ces sottises, mon pauvre chien ? Comme si tu pouvais comprendre... »

Son regard se perd dans le puits d'ombre du jardin, que ne hante plus personne.

« Imagine un peu ça, Fidèle : un mongolien et une vieille femme... C'est à mourir de rire, non ? Espère-t-il me faire mouiller comme quand j'avais trente ans, cet imbécile ? »

Elle s'emporte, un tic sur le visage, l'expression égarée.

« Ou alors, peut-être cherche-t-il à me rendre folle ? »

Sans préambule, elle tombe à genoux devant moi, me serre convulsivement contre elle.

« Heureusement que tu es là, mon chien, mon bon chien ! C'est pour ça que je t'ai recueilli, hein, tu le sais ! C'est pour ça que je te nourris, que je te caresse, que je te parle ! Pour que tu me défendes contre lui. Tant qu'il y avait du monde autour de nous, il restait dans son coin.

Même si ça le tourmentait, il s'arrangeait tout
seul. Mais aujourd'hui, plus rien ne le retient. Il
se dit certainement que je ne pourrai pas lui
résister, que je n'en aurai ni la force... ni peut-
être même l'envie. Que je suis à sa merci, quoi !
C'est ça, il croit que je suis à sa merci... Oh,
Fidèle, cette horrible chair... je préférerais cre-
ver ! »

Un sanglot sec ponctue la fin de sa phrase.
Agrippée à moi, elle se balance. Et doucement,
doucement, de sa voix d'antan, de sa voix de
savane, de soleil, de manguiers, de terre rouge,
elle entonne :

> *Mwana wanjije ihii*
> *Ninde ukuvuze ihii*
> *Ninde ukurijije ihii...*

À qui est destinée cette berceuse ? Qui Astrid
cherche-t-elle à apprivoiser ? Moi, qu'elle suppose garant de sa sécurité ? Ou Hugo, ce colossal
enfant à face d'embryon, ce poupon libidineux et
flasque dont les pulsions d'homme l'horrifient ?

42.

> *... Ngwino nkwihoreze*
> *Ngwino ndirimbe ibihozo*

Sbihozo   maman   yantoje
ihii... *

Astrid paraît étrangement jeune, lorsqu'elle
chante. Son timbre, grave d'ordinaire, devient
haut perché comme celui d'une fillette. Elle
scande le rythme avec excès, à la manière des
enfants qui font des rondes, ou sautent à la corde
au son d'une comptine.

Nza gushyiri mugongo
Nza ku jyanoa iwacu
Iwacu ahonvuka ihii... **

On dirait une grosse petite fille berçant un
chien en peluche.

43.

Je ne réalisais pas combien Hugo avait
grandi... Les débiles deviennent donc des adultes,
eux aussi ? Ils ne sont pas, comme ces animaux
de compagnie – ces bouledogues à tête de

* Viens que je te calme/Viens que je te chante les ber-
ceuses/Les berceuses que maman n'a apprises, ihii.
** Je te porterai au dos/Je t'amènerai chez moi/Chez moi
où je suis née, ihii.

gnomes, mal plantés sur leurs pattes difformes – hors d'atteinte du temps ? Gardant, à travers enfance, jeunesse et maturité, la même trogne mafflue, les mêmes attitudes puériles, la même dépendance, et mourant de vieillesse dans leurs langes ?

Je ne conservais de lui qu'un fugitif souvenir de bête dans les taillis, toujours invisible, toujours fuyante. Durant toutes ces années où je l'ai côtoyé, il ne m'est jamais apparu comme un être humain, mais comme une excroissance, d'abord de sa mère, ensuite de sa chienne. J'en étais arrivé à oublier son existence...

Meisje, oui, elle se manifestait. Elle hurlait à la lune, aboyait sur notre passage quand nous empruntions, Astrid et moi, le Chemin Sous-Bois. On l'entendait fureter dans les fossés à la tombée de la nuit, ou courser des lapins... Mais le bubon rivé à son flanc n'avait pas de vie propre, à mes yeux du moins...

Il n'en a pas eu plus lorsque son père est mort.

J'étais à la retraite depuis un an ou deux quand la chose s'est produite. Un matin, nous avons vu débarquer les gendarmes, dans leur fourgonnette bleue. L'événement était de taille !

Je sarclais les plates-bandes quand ils sont passés sur la route. C'est rare qu'un véhicule emprunte cet itinéraire, mais ça arrive parfois. Les marchands ambulants, surtout. Jamais les flics. Surpris, j'ai levé les yeux. Mon étonnement n'a plus connu plus de bornes quand ils ont ralenti devant le Chemin Sous-Bois et s'y sont engagés. Là, j'ai appelé Astrid.

Nous sommes restés derrière notre haie, à observer.

Les gendarmes ont frappé sans succès chez le Flamand. (Pourtant, jeep et remorque étaient garées devant, preuve indéniable de la présence de Willem.) Puis ils ont enfoncé la porte. Ils sont ressortis cinq minutes plus tard, dans tous leurs états. L'un d'eux a même vomi, avant de remonter en voiture.

En passant devant nous, ils ont freiné et le conducteur s'est penché à la portière.

« Il y a eu du grabuge chez vos voisins, vous êtes au courant ?

— Quel genre de grabuge ?

— M. Demoort s'est pendu. »

La foudre s'abattant à mes pieds ne m'aurait pas ahuri davantage. J'ai bredouillé stupidement : « Vous... vous êtes sûr ?

— Ça date de huit jours, au moins... Les pompiers vont venir le décrocher, nous allons les attendre sur la route. »

Je leur ai proposé de boire quelque chose pour se remettre, ils ont accepté. Ils étaient très pâles. Des découvertes pareilles, ça vous secoue un homme ! J'ai cherché Astrid des yeux, mais elle était partie. Elle craint tout ce qui porte l'uniforme.

Je les ai fait entrer dans la cuisine et je leur ai servi une bière.

« Vous n'avez rien remarqué de spécial, je suppose ? » a dit l'un d'eux, un petit sec à l'air soupçonneux.

J'ai répondu que nous n'avions quasiment pas de rapports avec ces gens-là.

« C'est l'épicier qui nous a prévenus, a expliqué le plus grand. Ça lui a paru bizarre que, deux fois de suite, personne ne sorte quand il klaxonnait. »

Il a bu une lampée puis, ayant fait claquer sa langue, a ajouté : « Le cadavre était suspendu à la grande poutre du salon, déjà à moitié décomposé.

– Tu parles d'une puanteur ! a renchéri l'autre. À propos, vous n'avez pas vu son fils ? »

J'ai haussé les épaules. Meisje n'avait pas aboyé de la matinée. « Oh, celui-là, vous savez... Toujours à travers bois ! Quand la chienne n'est pas là, lui non plus. »

Le petit a hoché la tête. « Il doit effectuer des coupes, je suppose. L'épicier m'a dit que, malgré son handicap, il aidait son père. Pour tailler du bois, pas besoin de savoir lire ni écrire ! »

Perplexe, je me suis gratté le crâne. « Qu'est-ce qu'il va devenir ?

– M. Demoort a laissé une lettre, pour expliquer son geste. Elle est adressée à son frère Piet, mais nous l'avons ouverte. Il lui confie la gestion de tous ses biens, à charge de laisser Hugo dans la maison et de lui verser chaque mois une petite pension.

– Ah ça... Il n'a rien laissé au hasard, notre macchabée ! » a ronchonné le petit sec.

Sur ces entrefaites, les pompiers sont arrivés. Les gendarmes les ont rejoints, sans même terminer leurs canettes. Je suis parti à la recherche d'Astrid, et je l'ai trouvée roulée en boule sur le lit, frigorifiée. J'ai mis ça sur le compte de l'émotion. Les Noirs sont superstitieux et pusillanimes, tout ce qui touche à la mort les terrifie. Surtout dans de telles circonstances ! Je l'ai réconfortée de mon mieux, je suis allé lui chercher un châle, des pantoufles, je lui ai préparé de la tisane... De la tisane, quelle dérision ! De la tisane pour soigner la perte d'un amant ! Si j'avais su, cette tisane, au lieu de la lui faire boire, je la lui aurais jetée au visage, bouillante !

Hugo est resté terré je ne sais où, durant plusieurs jours. Comment s'est-il nourri ? Je l'ignore. Peut-être Meisje a-t-elle chassé, et se sont-ils partagé le butin ? De la viande, du sang, ça suffit pour survivre. Puis, un soir, nous avons vu de la lumière dans le chalet. L'enfant et la chienne étaient revenus.

Quand je dis « l'enfant »... Il avait la trentaine, à l'époque... La trentaine et un physique de lutteur de foire. Mais c'est seulement maintenant que je m'en rends compte !

44.

Mwana wantje ihii
Ninde ukuvuze ihii
Ninde ukurijije ihii...

Arrivée à la fin de la berceuse, Astrid reprend le premier couplet et recommence, en boucle. S'arrêter semble au-dessus de ses forces. Tant qu'elle chante, au moins, le silence ne s'installe pas.

Le silence propice aux méduses...

45.

Astrid fredonne toujours, étroitement arrimée à moi, perdue dans son angoisse. C'est cette berceuse-là que ma négrillonne chantait, la première fois que je l'ai vue.

Les Pères Blancs faisaient agrandir leur chapelle, et j'étais chargé des travaux. Un jour que je parcourais les allées de la Mission, j'ai croisé un groupe de fillettes portant des figurines en plâtre. Il y avait là tous les personnages de la Nativité : la

Vierge, saint Joseph, l'âne, le bœuf, les rois mages... À des échelles différentes, ce qui est souvent le cas dans les crèches naïves. Question de perspective, paraît-il. Marie était trois fois plus grande que son époux, les rois mages ressemblaient à des Lilliputiens, et le malheureux âne avait l'air d'une souris.

J'ai demandé aux petites filles où elles allaient, ainsi chargées. Elles m'ont montré, non loin, un hangar de bambou transformé en étable. Nous étions le 24 décembre... Ça m'a causé un choc : sous les tropiques, par quarante degrés à l'ombre, la notion de fête de Noël perd son sens.

Tout le monde ne semblait pas partager cet avis. Les petites filles étaient très excitées. Elles attendaient avec impatience la messe de minuit en plein air – faute de chapelle ! – et avaient même, m'assurèrent-elles, appris des cantiques pour la circonstance. Amusé, je les ai abandonnées à leurs préparatifs.

Je poursuivais ma route quand une voix grêle a attiré mon attention. Et c'est alors que je l'ai vue. Elle était assise dans la poussière, son pagne remonté jusqu'à mi-cuisse, berçant ce que j'ai pris d'abord pour un jouet. Un poupon blanc, grandeur nature, auréolé de boucles blondes, bras ouverts, jambes légèrement repliées... l'Enfant Jésus de la crèche.

La petite chanson montait dans la chaleur, et c'était si charmant, cette négrillonne aux jambes

nues cajolant ce bibelot saint-sulpicien, que je me
suis arrêté pour la regarder.

En me voyant, elle s'est interrompue et m'a
souri de toutes ses dents.

« Quand je serai grande, j'aurai un bébé blanc
comme celui-là ! » a-t-elle affirmé.

J'ai pris mon air le plus grave. « Pour ça, il te
faudra un mari blanc ! »

Elle a hoché la tête, du rire dans les yeux.
« J'en prendrai un ! »

Je suis reparti, troublé.

Sous le pagne troussé, on apercevait le creux de
l'aine. Astrid avait juste dix ans.

46.

Brusquement, la chanson s'arrête. Privée de sa
voix d'enfant, Astrid redevient vieille. D'autant
qu'un pli de concentration, s'ajoutant aux rides
déjà en place, barre son front.

Sans un mot, elle repousse le chien et fonce
vers le buffet dont elle ouvre le tiroir de gauche.

Ce tiroir-là, c'est le fourre-tout. Un monceau
de petits objets hétéroclites s'y entasse : ficelle,
élastiques, épingles, timbres-poste périmés, bou-
tons, trombones, vieilles photos d'identité,
punaises, clous, tapette à rats (et la liste n'est

pas exhaustive)... Les mille et un bilokos * indispensables qu'on ne retrouve jamais quand on en a besoin.

Astrid retourne tout. Et, au terme de sa quête, brandit victorieusement un coussinet de tissu, semblables aux sachets de lavande parfumant les draps, dans les armoires à linge.

Une expression de défi sur le visage, elle glapit, en direction de la fenêtre : « Je l'ai toujours, le cadeau de Toukoutouk ! Alors méfie-toi, Hugo ! Il est efficace et je sais m'en servir ! »

47.

Toukoutouk lui a fait un cadeau ? Première nouvelle...

Je m'approche dans l'intention de flairer le coussinet, mais Astrid l'escamote prestement.

« Va-t'en, vilain curieux ! Ce n'est pas pour toi ! »

Je la reconnais bien là, avec sa manie du mystère !

La superstition d'Astrid n'a toujours eu d'égal que son goût pour les secrets. Toute sa vie, elle s'est entourée de porte-bonheur, médailles et autres pattes de lapin à fonction plus ou moins

* Biloko : objet sans importance, babiole.

magique, dont elle m'interdisait l'accès. « Tu es trop pragmatique, disait-elle. Les gens comme toi détruisent le pouvoir des gris-gris, et après, ça ne sert plus à rien. »

Mon boy a dû lui en refiler, à mon insu. C'était bien dans ses mœurs, à lui aussi !

Un sacré bonhomme, ce Toukoutouk !

Il adorait raconter des histoires, à commencer par la sienne. Je n'ai jamais pu discerner la part de vérité et de fiction, dans ses récits. Il avait toujours sous le coude une anecdote, un potin, une fable collectés ici et là, qu'avec un réel talent il cristallisait en contes fantaisistes – parfois joyeux, souvent tragiques – dont il nous régalait à la demande.

Il n'était pas peu fier des circonstances de sa naissance, sa mère l'ayant kobouté* sur le bateau à vapeur – le toukoutouk, d'où son nom – qui remontait le Congo jusqu'à l'embouchure de l'Oubanghi. Les détails de cet accouchement mythique constituaient, généralement, le point de départ d'une de ces « chroniques de la vie congolaise » dont il avait le secret. Mais, contrairement aux griots qui s'expriment par mélopées en suivant le rythme du djumbé, Toukoutouk, lui, pratiquait la narration à l'européenne. Il mimait l'action, et à lui seul, ce « jeu de gestes » constituait un morceau de bravoure qui valait le déplacement.

« Moi qui suis né voyageur... », commençait-il

---

* Kobouté : accouché.

*invariablement. C'était le lever de rideau. Aussitôt,
on faisait cercle autour de lui. Mes ouvriers appré-
ciaient tout particulièrement ses prestations aux
heures de pause.*

*Mais c'était le soir qu'il donnait sa pleine
mesure, dans la véranda de ce que, pompeusement
– et avec un brin d'ironie –, j'appelais ma villa. À
la fraîche, devant un verre d'alcool de palme, et
pour un auditoire trié sur le volet, mon boy se
donnait en spectacle...*

*Je n'oublierai jamais cette fois-là. J'avais invité
quelques vagues connaissances – un couple de
colons fraîchement débarqués de leur Hainaut
natal, et un jeune instituteur batéké, sévissant dans
la mission voisine –, ainsi qu'Astrid, qui fouinait
souvent dans les parages à la manière d'un petit
animal curieux. Toukoutouk semblait dans sa
meilleure forme, aussi, lorsqu'il a prononcé la
sacro-sainte formule : « Moi qui suis né voyageur... », tous les regards ont-ils convergé dans sa
direction.*

*Toukoutouk était très grand, très maigre, avec
cette élégance faite de nonchalance et de déme-
sure, propre aux Africains. Ses longs doigts déliés,
s'envolant, se rétractant, dansant autour de son
visage, donnaient à sa parole un saisissant relief.
Il en usait et en abusait, avec une maestria d'hyp-
notiseur.*

*Mais cette fois-là, mon boy me préparait un
tour à sa façon.*

« *Moi qui suis né voyageur, j'ai vu Toum-*
bou-bâ, le village du baobab sacré. »

Il a fait le tour de l'assistance, avec une expres-
sion de défi que je lui connaissais bien – sa tête de
« *méchant singe* » *comme j'avais l'habitude de*
l'appeler. J'aurais dû me méfier! Mais j'étais trop
occupé par Astrid. Elle portait un pagne orange et
vert, avec de grandes fleurs aux allures carnivores.
De minuscules nattes se tortillaient autour de sa
tête. Ses paupières écarquillées laissaient voir lar-
gement le blanc de ses yeux, et elle ne souriait pas.
Jamais je ne l'avais trouvée aussi jolie.

Elle écoutait en retenant son souffle. Toute
l'attention du conteur semblait, d'ailleurs, s'être
fixée sur elle. Ignorant impudemment le reste de
l'assemblée, mon boy ne s'adressait qu'à la négril-
lonne.

« *Quiconque se réfugie sous ce baobab a droit*
aux égards et au respect, même si c'est un crimi-
nel, a-t-il poursuivi. Tant que l'ombre des
branches le recouvre, il est intouchable. Et sais-tu
pourquoi, fillette? »

Fascinée, Astrid a fait « *non* » *de la tête, et ses*
petites nattes ont oscillé en cadence.

« *Parce que c'est l'arbre aux mains.* »

D'un geste brusque, il a brandi ses deux poings
devant lui; deux poings menaçants comme ceux
d'un lutteur. Astrid a sursauté.

« *Et sais-tu pourquoi il porte ce nom? Parce*
que des mains sont enterrées entre ses racines. Des
centaines et des centaines de mains.

– *Des centaines et des centaines de mains? a répété Astrid, subjuguée.*

– *Oui, des centaines et des centaines de mains, noires comme les tiennes. Des mains de nègres, coupées par les maîtres blancs... »*

Le discours prenait un ton inattendu. J'ai senti les colons s'agiter sur leurs sièges.

« Quand la récolte du caoutchouc n'était pas suffisante, les maîtres blancs venaient dans les villages avec des fouets, des fusils et des haches. Leurs sentinelles les suivaient: des Noirs sans pitié, à leur solde. Ils faisaient sortir les familles des cases, et coupaient les mains. Toutes les mains. Celles des hommes, des femmes, des enfants, des vieillards. Celles des nouveau-nés. Ces nuits-là, ces nuits d'horreur, la brousse résonnait de pleurs et de hurlements. Et même les bêtes les plus cruelles, même les buffles, les panthères, les gorilles, tremblaient de peur en les entendant. »

Avec une légère plainte, Astrid a caché ses menottes sous ses aisselles.

« Des moignons..., rugissait Toukoutouk, emporté par son récit. Des villages entiers avec des moignons. Et au milieu, devant la case du chef, un tas de mains sanglantes... »

Ses doigts graciles ont dessiné le tas dans l'espace, au milieu d'un silence consterné.

« Où est-il allé chercher ça, lui? » a chuchoté le colon à l'oreille de sa femme.

Et la petite voix d'Astrid d'implorer, toute trem-

blante : « C'était... c'était il y a longtemps, hein, Toukoutouk... ?

– Quarante ans à peine... Mon père a connu cela. Il était enfant, à cette époque. C'était un bassengi* de la tribu des Mongu, qui récoltait la gomme pour le roi Léopold II. Lui-même a été torturé de nombreuses fois. Les lanières du fouet ont laissé des cicatrices sur ses épaules. Des boursouflures semblables à de gros vers pâles incrustés sous la peau... »

Il s'est penché vers Astrid qui a eu un mouvement de recul involontaire.

« Voilà pourquoi le baobab de Toumbou-bâ est sacré. Ce n'est pas de la sève qui coule sous son écorce, c'est du sang. Il a capté la mémoire de ces atrocités, et il s'en est nourri. Le temps passe, les hommes oublient, mais pas les arbres. Le baobab de Tombou-bâ se souvient, et se souviendra toujours. Il protège les nègres qui cherchent refuge sous ses branches. Qu'ils soient voleurs, bandits, assassins, il les protège. Seulement les nègres... pas les Blancs ! »

D'ébahis qu'ils étaient, les deux colons sont devenus nerveux. Très, très nerveux.

« Je vous somme de faire taire ce macaque ! m'a craché la jeune femme.

– C'est avec ce genre de discours qu'on monte

---

* Bassengi : homme primitif (littéralement : homme tout nu).

la tête aux indigènes! Votre boy est un agitateur, Jean!» a renchéri le mari.

Comme j'ordonnais à Toukoutouk de «la fermer», l'instituteur s'est levé à son tour. «Il ne dit que la vérité, a-t-il riposté gravement. J'ai eu entre les mains le rapport des enquêteurs internationaux. L'affaire du "caoutchouc rouge" a ému le monde entier. Le roi des Belges y est taxé de tortionnaire...

— Menteur! a crié le colon, frémissant d'indignation. Je me sens personnellement agressé par ces propos diffamatoires!

— Nous ne resterons pas ici une minute de plus!» s'est exclamée sa femme.

Ma soirée tournait court. J'ai tenté d'apaiser tout le monde mais les passions se déchaînaient. Depuis quelque temps déjà, le colonialisme vacillait sur ses bases; nous nous rapprochions dangereusement de l'indépendance. Dans les esprits échauffés, la moindre étincelle suffisait à mettre le feu aux poudres.

Pendant ce temps-là, sourd à l'altercation, Toukoutouk achevait sa légende.

«Quand on pile les fruits de ce baobab, on obtient une poudre appelée Okoubou, la poudre de vengeance. Elle tue les Blancs, fillette. Rien que les Blancs. Pas les Noirs.»

Et Astrid de répéter, d'une toute petite voix tremblante: «Elle tue les Blancs, rien que les Blancs, pas les Noirs...»

Les colons sont partis, furieux. Je ne les ai jamais revus. Ils ne m'ont pas manqué, je ne les aimais pas. Mais j'ai continué à fréquenter l'instituteur, un dénommé Lumumba. Charles, de son prénom. Son frère, Patrice, allait devenir, quelques années plus tard, une figure emblématique de la révolution.

Quant à Toukoutouk, je l'ai engueulé, pour la forme. Mais il s'est contenté de rire.

« Ça a amusé la petite ! » m'a-t-il répondu sans se démonter.

Qu'opposer à un argument pareil ?

48.

« Je me demande ce qu'est devenue Godelieve », dit Astrid tout de go.

L'émotion de tout à l'heure ne l'a pas empêchée de préparer le souper. Une potée de légumes avec des boulettes. En râpant le chou, elle réfléchit tout haut, comme à son ordinaire.

« Tu crois qu'elle est heureuse ? »

Les rognures de trognon pleuvent autour de l'assiette. L'une d'elles tombe par terre. Fidèle, qui n'attendait que ça, la gobe et la mâchouille avant de la recracher plus loin.

« Tttttttt ! » proteste Astrid.

Elle ramasse l'immondice, le jette à la poubelle.

« Je n'ai jamais été en Flandres. C'est plat, paraît-il. Pas comme ici. Et puis, il y a des grandes villes : Gand, Bruges... On rencontre des gens. Godelieve, c'était ça qu'elle voulait : rencontrer des gens. Des Flamands, comme elle. Ne plus être étrangère... Elle a dû se remarier, avoir des enfants. Des normaux, cette fois. Elle est même peut-être grand-mère, aujourd'hui... »

Un soupir. Astrid prend un oignon, l'épluche.

« Moi, si c'était à refaire, tu sais comment j'aurais vécu ? J'aurais épousé un Congolais. Toukoutouk, ou Charles Lumumba, ou un autre. Toukoutouk surtout m'aurait plu, il était gentil. Il racontait de belles histoires. On aurait habité dans la brousse, près de nos familles. Une case, quelques poules, des chèvres... Des enfants suspendus aux plis du pagne, d'autres jouant autour. Un dans le dos, un dans le ventre. Et le mil qu'on pile avec les tantes et les cousines, sur la place, en pouffant de rire... »

Elle se frotte les yeux : l'oignon, ça fait pleurer.

« Aujourd'hui, je serais la vieille mama pleine d'expérience, qu'on vénère, qu'on consulte, qui houspille et instruit. Celle qui initie les jeunes filles aux pratiques du mâle, aide les femmes à accoucher, leur montre comment on allaite, et endort les nourrissons, le soir, près du feu... »

Au tour des patates maintenant.

« Voilà comment aurait dû se dérouler ma vie. Et au lieu de ça... »

Du bout du couteau, elle désigne les quatre points cardinaux.

« ... personne à aimer, ni à droite ni à gauche. Un ventre sec comme un caillou. De la pluie, du vent. Et pour couronner le tout, un malade mental qui me persécute. Triste bilan ! »

Elle regarde le chien – auditeur complaisant, silencieux, parfait ! –, et crie presque : « J'aurais dû m'en aller moi aussi, Fidèle ! Partir tant qu'il en était encore temps ! Prendre mon bagage, faire du stop, filer n'importe où, ailleurs. Ça n'aurait pas pu être pire qu'ici, de toute façon. Mais j'ai été trop lâche... »

49.

La tête posée sur mes pattes, je l'écoute. Et je vais de surprise en ahurissement.

En fait, je ne crois pas un mot de ce qu'elle dit. C'est la solitude qui la fait délirer. Oui, c'est ça, la solitude. Et la peur...

Avant ma mort, elle allait bien. Elle « avait bon » comme nous disons en Wallonie – et l'expression est savoureuse ! Nous dégustions chaque jour, chaque heure, à petites goulées satisfaites. Je jardinais, elle cuisinait. Je lui apportais les légumes du potager, elle s'émerveillait : « Oh,

le beau poireau, le gros navet, la superbe courge ! »
et les mettait dans le frigo. Ensemble, nous coupions
des fleurs pour le salon. Ensemble, nous nous pro-
menions dans le Chemin Sous-Bois. Ensemble,
nous suivions les émissions télé. Et chaque nuit, un
sommeil commun nous rassemblait, bien au chaud
sous la même couette.

C'est ma mort qui l'a déboussolée, un point
c'est tout.

Les confidences d'Astrid sont truffées de men-
songes. Elle a l'esprit dérangé, l'esseulement la
mine. Elle déforme tout... Elle ment, n'ayons pas
peur des mots !

Elle ose mentir... *Me* mentir !

Mais dans quel but ? Se rassurer ? Se
convaincre que ce qu'elle a perdu n'en valait pas
la peine ? Chercher une consolation dans la néga-
tion d'un bonheur enfui ?

Oui, c'est ça, c'est sûrement ça.

Mais moi, là-dedans, hein ? Moi, qu'est-ce que
je deviens ? Faut-il que, par amour pour elle, je
me nie et j'avalise le sacrilège ?

Non, je ne laisserai pas le doute s'insinuer en
moi. Des radotages de vieille ne pervertiront pas
ma mémoire !

Je veux oublier ces propos fielleux, ces vomis-
sures. Ne plus me souvenir que de sa croupe
altière, sa croupe noire brillant dans les draps
froissés, ardente, offerte, répandant des senteurs
de poivre et de cumin. Comme je la prenais,

cette croupe, à deux mains! Comme je la prenais, pour m'y enfouir dans un ahanement!

L'évoquer me met le feu aux entrailles.

J'ai possédé, d'Astrid, les maigreurs de l'ado-
lescence, l'épanouissement de la maturité, le
confort de la vieillesse. Toutes les femmes en
une. Le charme de chaque âge. Ma négresse, ma
barbare, dans tes roses entrailles, j'ai connu des
années et des années – une vie entière! – de
joies incomparables. Et maintenant que je ne suis
plus, tu voudrais me voler *ça*?

Avec un grondement de rage, je ferme les paupières. Je fuis. Je rentre en moi, là où mon passé
est intact, imputrescible. Je m'immerge avec
volupté dans ce qui fut, et que même la mort n'a
pas réussi à me voler.

Aussitôt, je bascule dans le sommeil. C'est un
privilège canin, ces brèves absences, ces évasions
succinctes d'où la moindre alerte nous ramène,
non point anéanti comme les humains, mais dis-
pos, combatifs, et en possession de tous nos
moyens.

Je rêve. La croupe d'Astrid m'apparaît en gros
plan. Je la prends d'assaut. Elle geint, je souque.
Ma tripe chante. D'autant qu'entre mes crocs,
des petits bouts de viande sont restés coincés, et
m'enchantent, eux, le palais.

Nous baisons sur un matelas sanglant. La
dépouille de deux importuns, deux empêcheurs
de s'aimer en rond. Willem, Hugo. Deux crapules

que leur malséant désir a condamnées à périr sous ma dent, et qui se décomposent, membre par membre, organe par organe, au fil de notre coït.

50.

« Tu n'aimes pas ce que je t'ai préparé, Fidèle ? Il n'y a pas assez de viande, peut-être... ? »

Astrid a terminé son repas. Tout en débarrassant, elle examine, perplexe, l'écuelle intacte et l'animal somnolant à côté.

« Tu n'es pas malade, au moins ? »

Il y a un soupçon d'inquiétude dans sa voix. C'est qu'elle n'a jamais soigné de chien, elle ! Et pas question d'appeler le vétérinaire : ça coûte bien trop cher !

À moins d'un cas grave, bien entendu...

Elle s'agenouille, passe des doigts insistants dans la fourrure, tâte la truffe.

« Fidèle ? »

Fidèle ouvre les yeux, se redresse vaguement, lèche la main qui le caresse. Puis se lève, s'ébroue et va à la porte.

« Je vois... Tu as besoin d'une petite promenade apéritive, sourit Astrid. C'est vrai qu'avec cette pluie, tu n'es presque pas sorti. Le grand air va t'ouvrir l'appétit ! »

51.

Le fumet de Meisje a pris de la virulence, depuis mon arrivée. La période des chaleurs approche. De bonnes qu'elles étaient, ses émanations sont devenues succulentes.

La truffe rasant le sol à la recherche d'une traînée de pisse, je longe le grillage, dans un sens puis dans l'autre. En claquant des mâchoires, comme tous les chiens épris quand le rut leur vrille le flanc.

Mais Meisje est enfermée. Hugo veille jalousement sur elle. Seul un loup peut la monter – c'est du moins ce qu'on dit par ici ! – et uniquement lorsque son maître le décide. Il en a toujours été ainsi. Une seule portée par bête, une seule bête par portée. Une petite louve, pour perpétuer la lignée des Meisje.

Soudain, de l'intérieur du chalet, un hurlement s'élève. La chienne m'a senti. Son chant douloureux de femelle en chasse monte vers les étoiles.

J'y joins le mien. Notre duo d'amour emplit la nuit.

Devant sa télé, Astrid doit se boucher les

oreilles, grincer des dents, en proie à ses démons. Ma plainte n'en est que plus grisante – et plus ample.

52.

« Moi aussi, tu sais, dans le temps, le chalet m'a attirée, dit lentement Astrid. Et pour les mêmes raisons que toi ! »

La lampe de chevet, posée à côté d'elle, nimbe d'un halo rose ses crêpelures grises, ses traits que l'âge a adoucis, amollis, comme gommés. Un sourire flotte sur ses lèvres.

Toute droite, adossée à ses oreillers, elle fixe, par la fente du rideau, le mince tronçon de paysage vertical, baigné de lune. Puis ses yeux font le tour de la chambre et se posent sur le chien.

« J'étais seule toute la journée. Je m'activais. Une maison à entretenir, c'est du boulot, quand même ! D'autant que Jean ne souffrait aucun laisser-aller. Exigence légitime, après tout : lui bossait dur huit, dix, douze heures par jour. Pourquoi pas moi, qui partageais le fruit de son labeur ? »

Un voluptueux soupir monte du sol. Fidèle exprime sa satisfaction. Les chiens ont une structure mentale d'une formidable simplicité. Un rien

suffit à les combler. Une carpette, du chauffage,
la voix complice d'un maître... Ni travail, ni obli-
gations, aucune contrainte. Nourris, logés, aimés
sans qu'on leur demande rien en retour, sauf
d'être là, de profiter de nos largesses, et de nous
en être reconnaissants... Heureuses bêtes !

« Tu me donnes envie d'être une chienne,
tiens ! » murmure Astrid.

53.

« Jamais, je peux bien le jurer, je n'ai négligé
ma tâche. Même aux pires moments. Toute ma
fierté, je l'ai mise dans ce combat quotidien,
cette reconquête incessante des choses. Ce bras
de fer contre l'inéluctable : désordre, saleté,
poussière, putréfaction. Ah, Jean n'a pas eu à se
plaindre de moi ! J'ai tenu son ménage avec un
soin et une abnégation sans limites... »

Tandis qu'Astrid parle, les scènes qu'elle
évoque se déroulent sous mes yeux, à la manière
d'un film.

Ces scènes, et d'autres encore, qu'elle tait. Je
la revois, la trentaine gironde, avec ses batiks
rutilants et toujours, au visage, cette expression
de petite fille sur le point de faire une bêtise. Ce
nez qui se plisse pour un oui pour un non, ces

lèvres impudiques révélant, à tout bout de
champs, un croissant de dents blanches dans leur
cavité rose. Ces yeux où pupille et iris se
confondent en une seule et même flaque
d'ombre.

Je la revois, écartelée sous moi. Offrant à mes
saillies d'autres cavités roses. Et ça me fait ban-
der.

« Mais tandis que je lavais, repassais, briquais,
tandis que je préparais les repas, ravaudais les
chaussettes, passais l'aspirateur, mon esprit s'éva-
dait. Les corvées domestiques ont ceci d'appré-
ciable qu'elles n'empêchent pas de penser, bien
au contraire. Alors, je pensais. Et mes pensées
fuyaient, vagabondes, ailées, toujours dans la
même direction : vers chez le Flamand. Le chemin conduisant là-bas, j'en connaissais chaque
pierre, chaque relief, chaque brin d'herbe. Je me
le racontais inlassablement. Pas après pas, mon
esprit franchissait le court itinéraire, s'attardant
pour contempler une fleur sauvage dans le fossé,
ou une limace, ou la dépouille d'un oiseau. Histoire de faire durer le plaisir, de prolonger
encore et encore l'instant délicieux où le ventre
fourmille. »

Elle marque une pause, gagnée par une sorte
d'émotion. Comme égarée dans sa chair que le
récit éveille.

« Plus j'approchais du chalet, plus mon ventre
fourmillait. En atteignant le portail, j'avais

presque toujours un orgasme. Alors je n'allais pas plus loin. C'était inutile : le trajet m'avait suffi. »

Un frisson la saisit. D'un geste involontairement coquet, elle croise les bras sur la poitrine, remonte les épaules qu'elle empaume et masse. Pose la joue sur le dos de sa main droite. Me regarde, la tête penchée, presque malicieuse. Presque provocante. Presque négrillonne.

« Je n'ai jamais eu besoin d'évoquer la suite. À quoi bon ? Elle eût été triviale. Le sexe et ses chichis, j'en étais saturée. Jean y pourvoyait largement. Et je n'aimais pas ça.

« Durant plus de vingt ans, j'ai parcouru quotidiennement ces cent mètres de délices. Je ne vivais plus que pour ça. De savoir que là-bas, derrière ce rideau de sapins, un homme me désirait, suffisait à meubler mes jours. Car il me désirait, j'en avais la certitude. Il tournait en rond comme un fauve, dans son petit salon propret, obsédé par ma peau, mes seins, mon visage. C'était drôle, non ? Un Blanc obsédé par la peau noire, les seins noirs, le visage noir que je lui refusais. J'en avais le feu aux veines. Ça me vengeait des " guenon ", " moricaude " et autres " bamboula " dont m'avaient affublée les " anges "...

« La seule fois où j'ai cédé, c'était poussée par la pitié. Je n'en garde qu'un pâle souvenir, que rien de charnel n'entache. D'ailleurs, le regard d'Hugo par la porte entrouverte a effacé tout le reste.

« Aux aurores, j'entendais démarrer la jeep, en direction de la ravine des Makralles. Et parfois, furtivement, lorsque la nuit tombait, un bruit de branches cassées – ou des pas dans la neige – m'indiquait que Willem rôdait autour de moi, comme un prédateur guettant sa proie. Durant plus de vingt ans, mes plus grands émois ont été cela : un ronronnement de moteur, des craquements furtifs, une ombre se profilant le long de la haie ou traversant, l'espace d'un éclair, le rectangle que projette la fenêtre éclairée sur le gazon.

« Puis Willem s'est pendu. Le Chemin Sous-Bois a cessé d'exister. Et moi, je n'ai plus été qu'une enveloppe vide. »

Astrid se tait. Elle a vidé son âme à la manière d'un abcès. Alors, je me redresse lentement. Je m'assieds sur la carpette. Je lève le museau vers la plafond. Et, comme un loup, je hurle.

Je hurle. Ma haine, ma fureur, ma souffrance, mon désarroi. Mon passé saccagé. Les hurlements des loups ressemblent à des sanglots.

Dans le lointain, un cri répond au mien, assourdi par la distance et les murs de nos deux maisons.

« Hoooouuuuu... Hoooouuuuu... »

Les chaleurs de Meisje montent et la démangent. Elle implore le mâle à pleine gorge.

Bientôt, nos deux souffrances à l'unisson n'en font plus qu'une.

« Va brailler ailleurs, espèce d'obsédé ! marmonne Astrid en m'ouvrant la fenêtre. Tu n'as que ça dans la tête : baiser, baiser ! C'est bien la peine que je m'esquinte à te raconter ma vie ! »

D'un bond, je suis dehors.

54.

« Tu en as fait, un fameux boucan, hier ! » grogne Astrid, en jetant ses croûtes de fromage à Fidèle d'un air morose.

Elle étouffe un bâillement, avale une gorgée de café, grimace. L'amertume du breuvage lui arrache un frisson.

« Crénom, j'ai eu la main lourde... C'est imbuvable, cette saloperie ! » se morigène-t-elle, en rajoutant de l'eau chaude dans sa tasse.

L'humeur n'est pas au beau fixe, il s'en faut même de beaucoup ! La vieille femme, de toute évidence, ne pardonne pas au chien la virulence de son rut.

« Tu me rappelles Jean, tiens ! Lui aussi, il ne pensait qu'à ça ! »

Elle boit. Dans le silence, on n'entend que le bruit de sa déglutition, et la respiration saccadée du chien que le fromage a mis en appétit.

« Encore, pendant toutes les années où il a tra-
vaillé, c'était supportable. Il partait tôt, rentrait
tard. Il n'avait que la nuit pour *koukounié*, ou le
matin au réveil. Ça me laissait toute ma journée
à moi. J'étais seule, bien sûr, trop seule, mais en
paix. Je pouvais m'occuper, rêver à ma guise,
sans qu'on me cherche, qu'on me palpe, qu'on
me sollicite constamment. Mais quand il a pris sa
retraite... »

Elle a un geste signifiant : « La catastrophe ! »,
les deux bras levés théâtralement au-dessus de la
tête.

« Ah, la la ! quand il a pris sa retraite... Il avait
beau avoir septante ans et être devenu chauve,
bedonnant et presbyte, côté braguette, il fonc-
tionnait comme un jeune ! Toujours dur du bas-
ventre, toujours chaud de la bouche, toujours
égrillard. Et une petite sieste par-ci, et un gros
câlin par-là, et que je te trousse sur la table de la
cuisine, dans la salle de bains, même devant la
télé quand le film l'ennuyait. Et que je te harcèle
pendant le nettoyage, sous prétexte que, de passer la serpillière, ça fait bouger le cul et ça donne
des idées. J'avais l'impression de ne plus rien
faire d'autre, moi : sans arrêt déculottée, sans
arrêt à l'horizontale. Mais je n'avais pas le choix,
Jean ne me demandait pas mon avis. Je lui
appartenais, tu comprends, il m'utilisait selon son
bon plaisir. Sinon, pourquoi m'aurait-il ramenée
de si loin ? Alors je me laissais tripoter, la tête

ailleurs, en y mettant du zèle pour que la corvée dure moins longtemps. Et pendant qu'il soufflait comme un phoque sur moi, je parcourais le Chemin Sous-Bois...

« Enfin... les deux premières années ! Après, je n'ai plus su où aller. Et rester là pendant qu'on copulait, à nous observer froidement, avec nos fesses molles et nos ahanements, j'en avais la nausée...

« Quand Jean s'était soulagé, on reprenait nos occupations, chacun de son côté. Il retournait biner, moi j'éteignais le gaz sous la marmite de soupe et je mettais le couvert. Ou j'achevais d'étendre le linge. Ou je passais l'aspirateur, je rangeais, je prenais les poussières. Jusqu'à la fois suivante.

« Huit ans, ça a duré... Huit ans ! J'ai cru que ça ne s'arrêterait jamais... »

Huit ans, c'est vrai... Les meilleures années de ma vie. Comme si tous mes efforts – conquête d'Astrid, retour au pays, conflits familiaux, déménagements, travail acharné – n'avaient convergé que vers cela, ce but, cet accomplissement : une chaumière et un cœur. Terminés les départs aux aurores, les chantiers disséminés dans tout le pays, la séparation quotidienne. Une vie de travail m'avait valu cette récompense suprême : l'osmose totale avec la femme que j'aimais. Vingt-quatre heures sur vingt-quatre l'un près de l'autre, en harmonie, dans le lieu que nous avions choisi, savourant chaque instant comme une friandise.

Et voilà qu'elle ose dénigrer tout ça ?!?

Les incongruités de cette vieille folle m'irritent. Je retrousse les babines, je gronde. Elle me regarde avec étonnement, fronce les sourcils.

« Eh bien, dis donc ! Te voilà de nouveau dans un bel état, espèce de cochon ! Pas la peine de montrer les crocs, tu n'es pas prisonnier, que je sache ! Va donc la retrouver, ta putain ! »

Elle m'ouvre la porte, la lippe mauvaise. Un courant d'air la saisit ; elle resserre son peignoir sur elle.

« Les chiens sont encore pires que les hommes, quand ça les chatouille ! » l'entends-je grommeler.

55.

Lorsque le chien rentre, une heure plus tard, ayant fait – en vain ! – le siège du chalet, Astrid a un teint de cendre.

« Il est encore venu, Fidèle ! Il est encore venu ! »

Elle s'est barricadée. Les volets du salon sont fermés, plongeant la pièce dans une pénombre de salle de cinéma. Devant la porte d'entrée, elle a poussé une chaise.

« Il a vu que tu n'étais pas là, alors il s'est mis à tambouriner. C'était horrible ! Je lui criais : " Va-t'en ", mais il n'en avait cure. Il était déchaîné, la bave aux lèvres, les yeux fous. Je ne sais pas ce que vous avez tous en ce moment, c'est comme un vent de démence qui souffle. J'ai cru qu'il allait briser les vitres pour entrer. Il poussait des rugissements en martelant les fenêtres avec ses poings. Heureusement que les volets se ferment de l'intérieur. Je les ai baissés, mais ça ne l'a pas calmé. Regarde, il a cassé une latte de bois... »

Elle montre les dégâts d'un doigt tremblant.

« ... et il a continué à me fixer par le trou. Je me suis réfugiée dans la salle de bains, verrou tiré... Ton arrivée l'a mis en fuite, heureusement ! »

Sa voix se brise. Elle se laisse tomber à terre, se cramponne au cou du chien.

« Ne me laisse plus jamais, Fidèle, tu entends ? PLUS JAMAIS ! J'ai besoin de toi !!! »

56.

Cette nuit, j'ai le droit – ô bonheur sans mélange ! – de me coucher en travers du lit, tout au bout, sous l'édredon. Ce privilège me comble.

Pour la première fois de ma vie (!), j'ai une pen-
sée reconnaissante envers Hugo.

Ma femme a besoin de moi, de ma force, de
ma chaleur. Un besoin pressent, viscéral, presque
physique. À l'en croire, c'est la première fois...
Dire qu'il a fallu que je sois mort pour ça!

Je me fais humble, humble... La proximité
d'Astrid, allongée perpendiculairement à moi, les
pieds dans ma fourrure, m'emplit d'une inexpri-
mable douceur. J'ose, par-ci par-là, un coup de
langue furtif sur ses orteils, et elle rit. D'un
pauvre petit rire grelottant, près des larmes.

L'autre nuit, quand elle m'a permis de dormir
près d'elle, c'était dans un moment de faiblesse,
de panique. J'étais l'épave à laquelle on
s'accroche pour ne pas sombrer. Mais ce soir,
c'est différent. Elle m'accepte en connaissance de
cause. J'acquiers mon statut officiel de « compa-
gnon de lit ». Astrid ne reviendra plus en arrière.

Je suis à nouveau chez moi dans ma chambre.

Ma chambre... Je la regarde enfin à la bonne
hauteur, je la retrouve. Vue du sol, elle était dif-
férente, plus grande, moins douillette. Mais d'ici,
oh, d'ici... J'en fais le tour comme jadis durant
mes nuits d'insomnie.

Cette pièce n'a jamais été totalement obscure.
Lorsque j'ai acheté la maison, le volet était déjà
cassé. Ces volets-enrouleurs, qu'on descend à la
manivelle, vieillissent souvent mal. Le mécanisme
se grippe à la longue, et la persienne reste blo-

quée dans sa loge. J'ai voulu le remplacer, mais
Astrid s'y est opposée. Elle a toujours eu horreur
de qu'elle appelait « le noir aveugle », prétendant
que cela lui endolorissait les orbites. « J'écar-
quille tellement les yeux que j'ai l'impression
qu'ils vont tomber », affirmait-elle. Je n'ai pas
insisté. Après tout, ça évitait des frais, et le
rideau suffisait largement pour préserver notre
intimité.

La préserver de quoi, d'abord ? L'isolement
était notre meilleur garant de discrétion !

L'été, nous ne le fermions même pas, d'ailleurs, ce rideau. Ni la fenêtre. Nous laissions le
clair de lune couler dans notre chambre, les
rumeurs de la nuit l'envahir. Crissements
d'insectes, frôlements, grésillements, murmures.
Et dans le lointain, le hululement feutré des
chouettes... Nous faisions l'amour, nous causions
à mi-voix, nous dormions dans ces chuchote-
ments nocturnes familiers, que rien d'inquiétant
ne troublait jamais.

Ce soir, la fenêtre est close et les tentures
tirées.

Curieusement, les pensées d'Astrid se super-
posent aux miennes, car elle dit : « Dommage
qu'on n'ait pas réparé le volet. Il m'aurait été
bien utile, maintenant... Nous sommes au rez-de-
chaussée, n'importe qui peut entrer... Demain, je
téléphonerai au menuisier des Fontenelles, celui
qui nous a installé la barrière. Lui, doit être à la

retraite, mais je crois que son fils a repris l'affaire... »

Elle bouge vaguement. Dans l'ombre, le blanc de ses yeux luit, presque phosphorescent.

« Enfin, tant que tu es là, je ne risque pas grand-chose... Hugo a peur de toi. Il a toujours eu peur de tout et de tout le monde, sauf de ses chiennes... (petit ricanement grinçant)... et de moi, depuis que " ça " le travaille... »

Les plantes de ses pieds esquissent, dans mon poil, une sorte de caresse.

« Il n'y a pas une semaine que je t'ai recueilli, et déjà tu m'es indispensable, mon pauvre Fidèle... Comme gardien, comme bouillotte... Je n'ai jamais eu besoin de personne à ce point-là... »

Je gobe ses paroles, frémissant, éperdu. Des mots d'amour semblables, elle ne m'en disait pas de mon vivant!

Je m'endors, dans un soupir d'extase. Je rêve d'elle. À douze ans, aimait-elle les chiens? Oui, sûrement. Les enfants et les bêtes se comprennent d'instinct. D'instinct, ils sont complices. Ce sont les préjugés adultes qui pervertissent leurs rapports. Les animosités absurdes qu'on leur inculque, ou qu'ils acquièrent en prenant de l'âge. Et dont le monde animal fait les frais.

Je rêve d'elle, de sa bouche rose, de ses paumes roses. De son rire rose à en hurler. Elle fuyait Kitoko mais n'aurait pas fui Fidèle. Dommage que je ne sois pas mort là-bas, en Afrique. Ses deux petits bras autour de mon cou, je les aurais sentis bien plus tôt, et sans avoir recours à la magie. Je nous vois, parcourant la brousse côte à côte, ivres de liberté, elle cramponnant mon poil, à la façon d'Hugo et Meisje. Nous reposant après nos courses folles, enroulés l'un dans l'autre à l'ombre d'un arbre à pain, bras, jambes et pattes emmêlés. Ah! j'aurais su la protéger, cette petite grenouille noire! J'aurais su la défendre. Même contre les assauts de l'homme blanc, j'aurais su...

Que n'ai-je été chien de toute éternité!

Le souffle d'Astrid emplit la pénombre, régulier et doux. Je m'éveille, je l'écoute. Il me berce. Chien de toute éternité... Oh oui, recommencer... Reprendre notre histoire de zéro... Les douze, quinze années de vie qui me restent, les passer à l'idolâtrer, constamment, nuit à jour. Vieillir avec elle. Que mon museau blanchisse, que le rhumatisme me déforme, près d'elle, mon diamant noir, ma maîtresse, se dégradant aussi. Unir nos maux comme nous n'avons pas su unir nos sens...

Dans le silence de la nuit, des espoirs insensés me viennent, des bouffées de certitude. Oui, oui, tout recommencer, c'est possible. La posséder vraiment, qu'elle soit mienne à jamais, avec son âme, avec son corps...

Un feu de Dieu me brûle le ventre. Je hume son odeur de négresse, ce lourd parfum qu'exacerbe le sommeil. Des fragrances de croupe, de sueur, d'haleine. Ma truffe parcourt ses chevilles, ses mollets, ses genoux. Insensiblement, je monte vers elle.

Quand elle se réveille en sursaut, mon corps, collé au sien, n'est plus qu'une fournaise.

57.

« Mais... que... »
Un halètement suspect trouble le silence nocturne.

Astrid s'assied, allume la lampe de chevet, repousse la couette. Le chien est obscènement plaqué contre elle, l'arrière-train agité de soubresauts.

Elle a un moment de stupeur, puis s'emporte : « Qu'est-ce que tu fous là ? Veux-tu bien retourner à ta place ! »

Fidèle fait celui qui n'a rien entendu et poursuit son manège, imperturbable.

« Barre-toi, je te dis ! »
Une tape sur le museau le fauche en pleine euphorie. Avec un couinement de douleur, il s'écarte et, honteux, les oreilles soudées au crâne, rampe aux confins du lit.

« Non, pas là, par terre ! »

Il descend.

Astrid secoue son oreiller, s'y adosse. Croise les bras, dans une attitude de vierge outragée.

« Qu'est-ce que vous avez tous après moi ? fulmine-t-elle. Les débiles, les clébards... Et quoi encore ? Vous ne pouvez pas garder vos distances ? » Puis, se penchant vers le chien, furibonde : « Tu me confonds avec Meisje ou quoi ? »

Raplati sur la carpette, Fidèle risque un gémissement contrit.

« C'est ça, pleurniche dans ton coin et tiens-toi tranquille ! » se radoucit légèrement la vieille femme. Et dans un soupir : « Je suis bonne pour une insomnie, moi, maintenant ! »

Elle se lève, soulève le rideau, jette un coup d'œil par la fenêtre. Tout est calme, dehors. Seule une faible lueur jaune, derrière l'épaisseur de sapins, trouble l'obscurité spongieuse du paysage.

« Il y a de la lumière chez le Flamand. Hugo non plus ne dort pas... », frissonne-t-elle.

Elle se recouche, et remonte la couette jusqu'à son menton.

« Dire que c'est pour avoir la paix que j'ai fait ça... Pour avoir la paix... Si j'avais su ! »

Le rideau, mal retombé, laisse filtrer un petit coin de nuit, accroc obscur dans la bulle de lumière.

« À mon âge, j'avais quand même bien droit à un peu de tranquillité, non ? Je ne pouvais pas deviner que ce serait pire après ! »

Nouveau soupir. Elle prend le verre d'eau posé sur la table de chevet, en boit quelques gorgées. Le repose.

« C'est la faute à Toukoutouk, finalement, si j'en suis là. Mais je ne peux pas lui en vouloir, il n'avait que de bonnes intentions. On était du même village, et je crois qu'il m'aimait bien. Si j'étais restée, il m'aurait peut-être épousée... »

58.

Le museau posé sur mes pattes, je boude. Jamais je n'ai été humilié de la sorte. Une monstrueuse frustration me comprime les testicules. Et pire encore : me voici face au conflit de mes deux moi. Car si ma nature de chien se soumet, tête basse – les chiens sont habitués à ce genre de brimade : de tout temps, les maîtres ont jugulé leurs appétits les plus légitimes. La peste soit de ces bourreaux ! –, il n'en est pas de même pour mon âme d'homme.

Mon âme d'homme est en pleine turbulences. Des pulsions revanchardes me taraudent. Des désirs de viol.

La voix d'Astrid n'est qu'un murmure diffus qui berce mon exaspération. Un bourdonnement d'insecte, agaçant et quasi dépourvu de sens.

« Toukoutouk est venu me voir, avant mon départ. " La poudre d'Okoubou, ça peut toujours te servir, là-bas, m'a-t-il dit. En Europe, les gens sont méchants. " Moi, je ne voulais pas le croire, évidemment. J'étais si jeune, si candide...

– Hooooooouuuuuu ! Hooooouuuuuuuu ! »

Tiens, Meisje nous remet ça... Il y avait long-temps ! Son maître a dû la laisser sortir, sa plainte vient du bois. Qu'y cherche-t-elle, un loup ?

« Femelle du diable... maugrée Astrid. Elle aussi, tiens, j'aurais dû l'empoisonner ! »

Le cri de Meisje m'attaque au ventre, mais je ne bronche pas. Mon âme d'homme a pris, provi-soirement, le pas sur ma nature de chien. Entre les attraits d'Astrid et des chaleurs de chienne, mon choix – bien que cornélien – est fait. C'est Astrid que je veux.

Comme musique et parole, leurs deux voix se confondent à mon oreille.

« J'ai gardé le petit sachet en souvenir, convaincue de ne jamais l'utiliser. Les années ont passé, l'Okoubou était dans mes affaires. Je n'y prêtais pas attention... Mais après le suicide de Willem, quand la vie est devenue par trop insup-portable, j'ai commencé à y penser de plus en plus souvent. Forcément, je n'avais plus rien à quoi me raccrocher...

– Hoooouuuuu... Hoooouuuuu...

– Au début, l'idée m'effleurait à peine, une fois de temps en temps, sans que je m'y attarde. Puis elle s'est mise à m'obséder. Vers la fin, je n'avais plus qu'elle dans la tête. Mais il m'a quand même fallu six ans pour me décider...

– Hoooouuuuu.... Hoooouuuuu... »

Le cri de Meisje se rapproche. Il m'électrise, j'ai des spasmes dans l'abdomen. Le fumet de la bête en chasse me parvient à travers les murs, et tous mes nerfs de chien grésillent.

« C'est dans la soupe que je mettais la poudre. La julienne avec des haricots blancs, sa préférée. Il ne s'en rendait pas compte : l'Okoubou n'a pratiquement pas de goût.

– Hoooouuuuu... Hoooouuuuu... »

Par instants, le cri de Meisje couvre le monologue d'Astrid. L'accompagnement déborde sur les mots, comme dans les mauvais enregistrements. L'un sollicite mes oreilles, l'autre ma tripe. Mon être entier est à l'écoute.

« Même le médecin n'y a vu que du feu. À petites doses, la poudre d'Okoubou détruit lentement les Blancs, sans laisser de traces. Elle provoque d'abord une attaque cardiaque. Souvent, Toukoutouk me l'a assuré, on s'arrête là, sans chercher à aller plus loin. Le meurtre reste en suspens. Pas de crime, pas de risque. Et finalement, la vengeance n'est-elle pas plus belle ? Végéter comme un légume, n'est-ce pas plus affreux que la mort ? »

Mais... De quoi parle-t-elle? À quelle mort fait-elle allusion? Oubliant les vociférations de la femelle, je reporte toute mon attention sur les étranges propos d'Astrid.

« J'aurais pu me contenter de ça, poursuit-elle avec une sorte de délectation. Paralysé, il ne me dérangeait plus beaucoup. Mais le pli était pris... Je crois qu'il y a du vice à tuer. J'observais avec une sorte d'extase la progression du mal. Je détectais chaque nouveau symptôme, chaque signe d'aggravation, si minime soit-il. Et cela me procurait une allégresse immense. »

Pour mieux l'entendre, je m'assieds. Immobile, je fixe son profil d'ébène dans le halo rose de la lampe. Astrid semble dans un état second. Ce crime, c'est sans doute la première fois qu'elle l'avoue. Ces paroles, elle ne les a jamais prononcées, j'en jurerais. Même pour elle-même.

Et c'est moi qu'elle a choisi pour confesseur. Moi, *moi!*

« Pauvre Jean... Je l'ai fait durer presque trois semaines... Mais que de soins je lui ai prodigués, durant ce laps de temps! Toujours présente, toujours tendre, empressée, attentive... Vrai, Fidèle, je l'ai dorloté comme un bébé! »

Le hurlement de Meisje est tout proche, à présent. Il m'assaille. C'est avec ma chair que je l'entends. Avec mon sang, avec mes boyaux. Il n'y a plus rien d'humain en moi. Astrid vient de me tuer pour la seconde fois.

Je m'ébroue et, mû par un réflexe que je ne contrôle plus, je me dirige vers la fenêtre.

Le regard d'Astrid s'affole.

« Reste ici ! » commande-t-elle.

Mais je ne l'entends plus. Impatiemment, je me dresse sur mes pattes arrière et, des griffes, j'agrandis le petit coin de nuit.

Dans le petit coin de nuit, Meisje est assise, louve hurlante. La tête renversée en arrière, la gorge offerte, le museau pointé vers le ciel. Sa robe, miroitant dans le clair de lune, paraît liquide. Une cascade de mercure.

Tout mon corps se ramasse pour bondir la rejoindre.

59.

Le beuglement d'Astrid déchire l'atmosphère :

« Non, Fidèle, NOOON ! Reste ici ! »

Elle se rue sur le chien et l'agrippe des deux mains.

« Ne me quitte pas ! J'ai trop besoin de toi ! »

Ce n'est plus un visage qu'elle a, mais un masque d'épouvante. Un masque d'ébène dont les yeux, exorbités par la peur, semblent par contraste d'un blanc irréel, presque fluorescent : des phares d'où jaillit une lueur de folie.

Fidèle hésite, partagé entre sa docilité ancestrale et les exigences impérieuses du rut. Alors,
des deux bras, elle lui entoure le cou, pose son
visage contre sa gueule et chuchote, d'une voix
tremblante : « Reste... Je t'aime... »

60.

Je t'aime... Elle a dit je t'aime, comme la
négrillonne de mon rêve. Elle a la même odeur
que jadis, la même, exactement. En plus forte, en
plus âpre. En plus enivrante. Une odeur de
chienne.

« Hooooouuuuuu !   Hooooouuuuuu ! »   geint
Meisje dans l'accroc de nuit du rideau.

Je lèche les mains d'Astrid, ces mains qui ont
caressé Willem, ces mains qui ont versé l'Okoubou dans la soupe. Ces mains qui m'ont tant
cajolé aux portes de la mort. Mais je les lèche en
chien, pas en homme.

Jean a été tué une seconde fois. Jean n'existe
plus. Fidèle a pris toute la place. Et Fidèle a le
ventre en feu.

Je me dégage. Face à Meisje, Astrid ne fait pas
le poids. Malgré son odeur de chienne, ce n'est
qu'une femme. Mes sens, à présent, exigent
d'autres agapes.

« NOOOON ! » hurle Astrid.

Trop tard : bandant mes forces, j'ai sauté vers la fenêtre, et je suis passé à travers la vitre.

Dans un jaillissement d'éclats de verre, je rejoins Meisje sur la pelouse. Dans ma fièvre, je ne sens même pas que mon corps est en lambeaux, zébré de dizaines de coupures qui constellent mon pelage de sang.

En m'apercevant, la chienne jappe. Et commence notre danse nuptiale.

Nous tournons l'un autour de l'autre, fébrilement, chacun flairant la queue puis la truffe de son partenaire, suivant toutes les phases d'un rite vieux comme le monde. Des secousses de désir font ondoyer nos muscles sous nos pelages – le sien lustré, le mien pourpre. Nos crocs, aiguisés par le rut, jettent des éclairs dans les ténèbres.

Soudain, venant du Chemin Sous-Bois, paraît une ombre. La silhouette confuse d'un colosse encapuchonné. De loin, il observe nos ébats. « Ja... Ja, Meisje... Gœd ! » ânonne-t-il.

Cette fois, ce n'est pas un loup qui va couvrir Meisje. C'est un chien errant, un chien de cimetière. Un chien sanglant. Hugo a dit « oui ».

Dans le gazon obscur, la chienne batifole, son panache battant ses flancs. Elle trottine, se retourne pour s'assurer que je la suis, repart, fait volte-face. S'amuse de mes élans qu'elle brise aussitôt. Dans le règne animal, quoi qu'on en pense, le maître de jeu est souvent la femelle. En ce qui concerne les modalités de l'accouplement, du moins.

Je la suis. Elle court. Son museau retroussé sur ses dents semble rire. Elle se moque de moi, me provoque pour mieux s'esquiver à mon approche. Me sollicite et me fuit tour à tour.

Écumant, je m'acharne. Le mâle est obstiné quand le rut le tourmente. De dérobades narquoises en harcèlements patauds, nous atteignons le fond du jardin.

61.

Un long moment, Hugo regarde les deux chiens se poursuivre dans la nuit. Sous le capuchon de la houppelande, sa face de méduse n'exprime pas grand-chose. Mais qu'éprouve-t-il, en vérité ? Rien. En tout cas, rien de transcendant. Les ébats de Meisje ne sont que le résultat d'un cycle naturel, la suite logique, imparable – éternelle ! – d'une manifestation hormonale. Tout comme sa mère et sa grand-mère, la chienne va stocker la semence mâle dans ses viscères, et vers Noël, elle mettra bas une portée de chiots dont Hugo ne gardera qu'un spécimen : une petite femelle. Les autres, il les noiera comme le faisait son père, sans état d'âme et sans regrets.

Cette fois, cependant, le cérémonial est un peu différent. Ce n'est pas dans une clairière que s'accomplit la saillie, mais dans un potager. Et l'élu n'a ni l'œil de braise du loup, ni son poil argenté, mais une dégaine efflanquée de bâtard. La beauté de la progéniture risque d'en être affectée, mais bah! qu'importe...

L'essentiel est que ce bâtard soit loin de sa maîtresse, rendu inoffensif par la tyrannie de ses glandes. Et Hugo compte sur Meisje pour que l'assouvissement dure longtemps.

Comme ça, la femme est seule. Toute seule...

Derrière ce qui sert de paupière à Hugo – ces deux fentes nues, sans cils, semblables à des plaies suintantes – palpite un regard d'une cruauté infinie.

Traînant derrière lui, comme une paire d'ailes brisées, sa houppelande alourdie par la pluie, le mongolien se dirige vers la maison d'Astrid.

Il enjambe la haie de thuyas, traverse la pelouse détrempée où chuinte chacun de ses pas, et fonce sans hésiter vers la fenêtre de la chambre – la seule éclairée.

Selon son habitude, il y plaque son visage et en scrute l'intérieur.

Un long moment, il reste là, immobile, épouvantail aux yeux vivants. Puis, satisfait de son examen, il passe la main par le trou de la vitre et, en prenant tout son temps, tourne le loquet.

En réponse à son geste, un hurlement de femme troue la nuit.

62.

« Non... Non... Laisse-moi, Hugo ! Laisse-moi !
Au secooouuurs ! »

Je dresse les oreilles, tétanisé malgré moi par
les accents d'effroi de la voix familière. Mais un
jappement impérieux me rappelle à l'ordre.

Meisje s'est enfin immobilisée, et m'offre son
dos frémissant.

De la terre meuble montent des odeurs de poireaux, de choux, d'oignons : tout un bouquet de
senteurs maraîchères qu'exacerbe l'humidité nocturne. Sous nos piétinements, les légumes, écra-
sés, rendent généreusement leurs derniers relents.

Mon bas-ventre est tendu à éclater.

Un baragouin criard s'échappe de la maison.
Des pleurs, des supplications, des sanglots, entre-
coupés d'éructations approximatives, proches du
langage mal maîtrisé des sourds-muets.

« ... À cause de toi, salope... papa et toi...
Salope... Putain... À cause de toi, maman partie...

– Ce n'est pas vrai, ce n'est pas moi... pitié,
Hugo..., geint Astrid, lamentable.

– Si ! Toi et papa... Je vous ai vus... Tu vas
payer... Je vais te tuer... Tu auras mal... mal... »

Un bruit indéfinissable, coup ou objet brisé.
Meubles qu'on déplace, qu'on heurte. Puis des

pas, des portes qui claquent. Et toujours les braillements hystériques d'Astrid, ses protestations, ses sanglots. Et toujours les éructations informes d'Hugo, ses accusations, ses menaces. Dialogue de sourds, de fous.

À présent, je les perçois moins nettement. Ils ont dû gagner le salon.

> *Mwana wantje ihii*
> *Ninde ukuvuze ihii*
> *Ninde ukurijije ihii...*

Une complainte tremblante, assourdie par la distance, s'élève, à peine perceptible. Si j'étais encore humain, je sourirais. Astrid tente d'apprivoiser l'ennemi, c'est tout elle, ça. Elle cherche à l'attendrir, à lui opposer un mur d'innocence. Elle s'efforce de le rendre à l'enfance dont il n'est jamais sorti. Les petits garçons ne violent pas les vieilles dames.

Mes pattes avant enserrent étroitement les hanches de Meisje. Elle se laisse faire. La gueule grande ouverte, la langue pendante, exhalant une vapeur épaisse, je la monte.

La chansonnette scande mes coups de reins.

63.

Astrid est tombée à genoux, ses mains jointes tendues devant elle. On dirait qu'elle prie. Sa berceuse, obstinée, aigrelette, monte vers Hugo comme une incantation.

Mais Hugo s'en fiche. Trois décennies de rancune bouillonnent en lui. Derrière l'inexpression de sa face fermente une haine tumultueuse, gigantesque, dévorante.

La perspective de sa vengeance toute proche le fait saliver.

En s'approchant de sa victime, toujours agenouillée, il bouscule la télé qui s'effondre, dans un fracas d'écran brisé. La chanson s'interrompt net, laissant en suspens le couplet inachevé. D'un geste instinctif de petite fille battue, Astrid protège son visage de ses bras repliés.

« Si... Si tu me le demandes, je serai ta femme... » balbutie-t-elle.

Les mots se bousculent tragiquement sur ses lèvres.

« Je t'obéirai... Je... je t'aimerai... Je ferai tout ce que tu voudras... Mais je t'en conjure, ne me tue pas... »

Elle dénude sa poitrine : deux énormes seins flasques hérissés de mamelons grumeleux. Des seins de nourrice qu'elle empoigne et offre, pathétique, le regard implorant.

Hugo lui crache dessus.

« Chante ! » ordonne-t-il en la saisissant par les cheveux.

64.

« Ngwino nkwilhoreze
Ngwino ndirimbe ibihozo
Sbihozo maman yantoje ihii... Aaaaaaaaaaaaaah »

Sur Meisje, je halète, l'arrière-train agité de convulsions. Les hurlements d'Astrid décuplent mon orgasme.

65.

Ma vulve, dilatée à l'extrême, bat comme une plaie dont on écarterait les lèvres de force. Impossible de me dégager, malgré les crispations et les secousses dont je gratifie ce qui m'emplit.

Plaqué à mes fesses, je sens un ventre chaud. Un ventre indésirable. Incongru. Odieux. Des griffes me labourent les hanches.

Où suis-je? Il fait noir. Je ne vois rien. Rien qu'une lune éblouissante, trou obscène dans le firmament.

Cette lune... Cette lune, je la reconnais...

J'étais là, sur le dos, la tête renversée en arrière, le ciel en pleine face. Kitoko trafiquait je ne sais quoi entre mes cuisses; des affaires d'homme. Moi, je regardais la lune.

L'amulette bougeait sur mes seins. Chaque respiration la faisait osciller. Ça chatouillait, mais je n'avais pas envie de rire.

Soudain, quelque chose a forcé mon kori*. J'ai eu mal, j'ai crié. La chose m'a pénétrée. Les contours de la lune sont devenus flous, à cause des larmes.

Kitoko me tenait les poignets, son poids m'écrasait. Sa sueur poissait mon corps, il haletait. Nos peaux se décollaient dans un bruit de ventouse, pour se recoller ensuite. Je suffoquais, écartelée, la muqueuse distendue à craquer.

Où suis-je? Dans la paillote, en butte à l'implacable intrusion de l'homme blanc?

Non. Une odeur d'agrumes m'assaille les narines. Une odeur bien européenne. Jamais poireaux, oignons, céleris n'ont eu un tel parfum.

Qu'est-ce que je fous là, à quatre pattes dans ce potager?

Si seulement je savais qui me couvre... Mais

---

* Coquillage.

tourner la tête avive la douleur de ma croupe. Des désirs de morsures m'agacent les dents.

Un bruit de semelles, dans l'herbe détrempée. Et une voix ânonnante.

« Paix, Meisje... Paix... »

Une main se pose sur ma nuque. Le cœur chaviré, je la lèche. Elle a un goût de sang.

« Bientôt de beaux petits... », dit la voix adorée.

De mes entrailles monte un cri d'allégresse. Je pointe le museau vers les étoiles : « Hooouuuu ! Hooouuuuu ! »

Sous l'impulsion du cri, ma vulve se libère. Je m'ébroue.

« Kom, Meisje * ! »

Frétillante, je suis mon maître. Un bâtard servile nous emboîte le pas. Je le flaire avec méfiance ; c'est lui qui m'a montée. La saillie l'a rendu penaud. Il n'exige plus, il quémande. Mon maître le repousse du pied. L'oreille et la queue basses, il nous regarde partir.

Bientôt, les ombres du Chemin Sous-Bois nous avalent. Devant nous se dresse le chalet. L'itinéraire qui y mène est peuplé de délices. D'une truffe gourmande, j'inspecte le fossé, les bas-côtés herbus, la palissade. Une pisse de mâle retient un instant mon attention, mais je m'en détourne vite. Les femelles fécondées perdent toute convoitise.

Parvenue sur le seuil, je me retourne une dernière fois. La maison au volet cassé brille dans la nuit.

---

* Viens, Meisje.

Cet ouvrage a été réalisé
par la Société Nouvelle Firmin-Didot
Mesnil-sur-l'Estrée
pour le compte des Éditions Denoël
en janvier 1998

Dépôt légal : février 1998
N° d'édition : 8949 – N° d'impression : 40869

Imprimé en France